インターネットというリアル

岡嶋裕史　著

ミネルヴァ書房

はじめに

この本は二〇一四年頃から書きため始めたアイデアと、二〇一八年に講談社の『クーリエ・ジャポン』で連載した「モダン・インターネット」、同じく二〇一八年に光文社の『本がすき。』で連載した「インターネットの腐海は浄化できるのか?」に大幅な加筆・修正を行って、一冊の書籍としてまとめたものです。

私は九歳のころにパソコン（まだそういう言葉はなかったですが）に触れて、一貫してプログラミングやネットワークが好きでした。インターネットが商用解禁されるはるか以前のことですが、すでにWANのサービスはありました。いわゆるVAN（Value Added Network）というやつで、黒電話にかぽっとはめる音響カプラと呼ばれる通信機器でつないだのです。データを音の形に変換して電話で伝える、しかも黒電話のスピーカーを介して行うわけですから、伝送効率はとても悪かったです。FAXを送受信するようなピピガガ音が鳴り響く中、ビットレートはカタログ値で300bps（三〇〇ビット毎秒）でした。

現在のイーサネットは構内配線の水準でも10Gbps（一〇〇億ビット毎秒）の伝送速度を誇りますから、比べるのもばかばかしいほどの性能差があります。

とはいえ、電子掲示板やニュースグループなど、基本的なサービスはすでに提供されていました。掲示板が荒れることも、利用者同士の叩き合いになることも、一度拡散したフェイクニュースがだんだん真実として振る舞い始めるのも、一九八〇年代からあったのです。

でも、それはあくまでネットワーク内のできごと、特殊な狭い世界でのできごとでした。リアルと仮想の感覚の乖離は今と変わりなくても、仮想空間が日常の生活に占める割合は技術耽溺者（オタクという言葉がそろそろ普及し始めていました。最初はひらがなでした）でもまだとても小さく、堅気の人たちに至っては皆無と言っていい状態でした。

ネットワーク内でトラブルやいいことがあっても、現実の世界に影響を及ぼすことはありませんでした。現実がネットで起こった小さな波紋を希釈してくれたのです。

風向きが変わったのはインターネットの商用解禁、ウインドウズ３・１の発売によるパーソナルコンピュータの普及、そして何よりスマートフォンの登場によってだと思います。インターネットは日常と切り離された特殊な世界ではなく、地続きの生活空間になりました。一つの社会インフラとして認知され、社会の一部からさらには社会そのものへとなりつつあります。

私はもともと技術屋で、ネットワーク技術のことしかわかりません。でもそれなりに、ネットワークの中で起こったことはネットワーク技術を使って解決することができました。しかし、インターネットがインフラ化して以降はそう単純なものではなくなりました。

インターネットは社会と不可分に結びつき、社会そのものになろうとしています。ネットワークの問題を解決するためには社会を動かす必要があり、社会での困りごとはネットワークの力で片付けることができます。逆もまたしかりで、社会問題を解くにはネットワークの、ネットワークの難題を処理するには社会の協力がないと、最初の一歩を踏み出すことすら覚束ないことになっています。そうした社会と技術の関係を考えるきっかけとして、この本が役に立てば嬉しく思います。

インターネットというリアル——目次

目次

第1章　インターネットでいま何が起こっているのか

1　フェイクニュースで喰う人々

デマとフェイクニュース

「フェイクニュース」とは、その名の通り偽のニュースである。二〇一六年はフェイクニュースが世界を席巻した年だったと言える。ただの偽ニュースということならば、昔から間違った報道はあったし、悪意をもって虚偽の口コミを伝播するような行為も存在した。しかし、フェイクニュースはどうやらこれらとは違うようだ。何が違うのか、どう違うのか、なぜそうしたものが現れたのかについて考えていこう。

「ローマ法王がトランプを支持」
「ヒラリーがピザ屋で児童売春を組織」
「熊本地震により、動物園からライオンが脱走」

どれが本当のニュースだろうか？　答えは、「すべて偽ニュース」だ。

ちなみに、右の聞き方で私は詐欺的な手口を使っている。Aが本当か嘘か？　だと意外に人は騙しにくいが、AとBとCのどれが本当か？　だと（もちろん、AもBもCも嘘である）とたんに騙される確率が上昇する。詐欺の基本的なテクニックである。

偽情報や誤報道などは過去にいくらでも存在した。口コミによるデマで、関東大震災のときに殺人が起きた、豊川信用金庫で取り付け騒ぎが起こった、など事例に事欠かない。二〇一七年七月には朝日新聞が「偽ニュース、悩める欧州」という記事をまとめ、まことしやかに報じられたドイツの放火事件がフェイクだったことなどを紹介している。

フェイクニュースは、過去から連綿と行われた偽情報の伝播が、ネットに舞台を移しただけ、という捉え方もできる。人間は基本的にコミュニケーションが大好きで、新しいメディアやツールができると、まずそれをコミュニケーションに利用できないか考える。過去に口コミで行われていたデマゴギーがネットでも行われるようになるのはとても自然なことだ。

しかし、「口コミによるデマ」と「ネットで拡散するフェイクニュース」には違いがあることも、また事実である。まずは速度差だ。「悪事千里を走る」ということわざがあるように、口コミの伝播力は凄まじいものであるが、それでも世界中を結ぶネットの比ではない。ネットに流通するフェイクニュースは一瞬で地球の裏側まで伝播して、消費される。また、偽情報が蒸散せず、ずっと蓄積される点も、口コミによるデマとフェイクニュースの違いだ。「人の噂も七十五日」と言われるように、口コミで広まった情報は、そのピークが過ぎればだんだんと口の端に上らなくなり、最終的には忘れられていく。

それに対して、ネットで情報が流通すると、それがSNSであれ掲示板であれ、何らかの形で長期間にわたって存在し続ける。SNSなどのサービスはやがて終了することもあるが、そうやって失われていく情報を保存しておくための魚拓サイトなども存在するため、巷間でよく言われる「半永久的に残り続ける」という表現は、あながち嘘ではない。

すると、偽情報の流通がピークを過ぎて、やがて沈静化しても、何らかのきっかけでまた偽情報の流通が再燃する現象が起こる。「ネットは忘れてくれない」のだ。EUの一般データ保護規則に盛り込まれ日本でも話題になった「忘れられる権利」(個人情報保護に関連する権利。不正確な情報や目的を果たした情報を削除し、再拡散を防止する)も、この特性に対応して登場したものである。

マスコミがマスゴミになるとき

フェイクニュースの特性は他にもある。単に「偽情報」ではなく、「フェイクニュース」と呼ばれることからもわかるとおり、これはニュースの形式をまとうことが多いのだ。口伝えに人から人へ情報が伝わる口コミは、公的な報道や告知に比べても、人々がとても信用しやすい情報源であることが知られている。マスコミュニケーションは太古の時代から、人々に真実をしらしめる役割を果たす一方で情報の管理や操作にも使われてきた。大規模に発布される情報のそうした怖さ、信用のできなさは、人々の記憶に通奏低音のように刻まれており、情報に対する抑制的な態度を取らせる。

その中には、格差の問題が含まれていることもある。マスコミュニケーションで情報を送信する担い手は、多くはエリートであり、たとえ情報を操作する意図がなくても、高学歴、高知識水準、高収入、高影響力を持つ人格という視点で情報を生成している。するとどうしても一般的な人々との間に社会を認識する態度にギャップが生じてしまい、その発する情報が信用ならない情報だったり、役に立たない情報であると判断されるケースが出てくる。嘘ではないにしろ、市民の感覚を正確に反映した情報ではなくなるのだ。そんなとき、口コミで流通する情報はこの不満を吐き出す受け皿になる。必ずしもエリートが発したわけではないそれらの情報は、公共のマスメディアには載らない身も蓋もない（しかし市民感覚に沿った）情報で、だからこそ市民はそれを信じたいし、信じるのである。

これがネットに移行し、強大な伝播力と、高い蓄積性、検索性を獲得して進化したものが、5ちゃんねる（旧2ちゃんねる）やツイッターへの投稿であると考えてよいだろう。多様な人々が紡ぎ出す種々雑多な情報は圧倒的な物量となり、しかも高度な検索技術によって自分に合致するものを抽出することが容易になっている。嘘がインフレーションを起こす、そのタネとなる信じたい情報、共感する情報はいつでも、いくらでも生産され続けている。

その一方で、やはり公の報道機関による情報に重きをおく利用者もたくさんいる。とくに日本は、いまだ報道機関に対する信頼が高いことが指摘されている。報道機関があえて偽情報を流すことはない（市民感覚とのズレが「偏向報道ではないか」との言説を生み、それがネットなどで盛り上がることは多々あり、それがマスゴミという言葉を産みもした。この点は後段で詳述する）。

また、意図的に偽情報を流そうとする者にとっては、既存のメディアで報道機関を名乗ってテレビやラジオで情報を流すことは事実上不可能だった。そのため、報道機関からの情報は様々な問題をはらみつつも、一定水準以上の信頼を担保していたのである。

ところが、この状況に変化が起きた。もちろん、震源地はインターネットである。ネットメディアの乱立で、ネットニュースを配信するサービスは幾何級数的に増えた。中には聞いたこともないサービスも多数存在している。また、各種ツールの整備によって、個人が情報を発信することもとても容易になった。ちょっと努力する覚悟があれば、はじめてパソコンやインターネットに触れる人であっても、数日もあればちょっとした報道機関なみのウェブページを制作することも可能である。

人々は情報発信することに慣れ、市井の一個人がコンテンツを作って送信したり、「報道」をしたりすることに違和感を持たなくなった。プラットフォーマーと呼ばれる事業者（たとえばヤフー）も、個人が書くニュースを掲載するようになり、この傾向に拍車をかけている。プラットフォーマーは、多くの人に自分のサイトに集まってもらうことがビジネスの生命線だ。そのためのしかけとして、自サイトにニュースを掲載することは昔から連綿と行われてきた。

初期の頃、そのニュースを提供するのは新聞社や通信社だった。しかし、プラットフォーマーが力を持つと、新聞社や通信社はニュースを提供することに危機感を持ちはじめた。すなわち、「ニュースを提供することで、プラットフォーマーばかりが得をしているのではないか」と。

プラットフォーマーとしても、ニュースは影響力の強いコンテンツである。通信社に出し渋りされたからといって、掲載を取り止めればＰＶに大きな損失が出ることは明らかである。そこで個人が発信する情報を「ニュース」として取り上げることになった。これは、注目を集めたい個人にとっても、多様で大量のニュースが欲しいプラットフォーマーにとっても、ウィンウィンの関係であるように思われた。

しかし、ここでいう「ニュース」は、たとえば新聞のニュースとは少し違う。プラットフォーマーはいうなれば「場所貸し」商売であって、そこに載っているものに対して責任がない。間違ったニュースが掲載されたとしても、「ごめん！　それ、書いた人の責任だから、並べておいただけのぼくは悪くないよ」が通じたのである。

新聞やテレビなど古典的な報道機関はそうではない。誤報を送信してしまえば、その過ちは信頼の低下、部数の低下、収入の低下といった形で、ダイレクトに表面化する。この記事に対する責任の違いが、プラットフォーマーにフェイクニュースが掲載されやすい状況を演出したといえる。

情報技術の進展とＳＮＳの普及、一般化もこの状況を後押しした。技術発展は偽情報を流通させようとする人に、たとえば既存のマスメディアとうりふたつのウェブサイトを低予算・短期間で作る技術を与えた。ＳＮＳで多くのフォロワーを持っている人や、現在トレンドになっているキーワードを把握している人にとっては、偽の情報を流通させて、それを多くの人の目に触れる状況を構築することが簡単になった。利用者も双方向性のある情報流通に習熟し、マスコミへの不信もあいまって、個人が発信する情報を日常のものとして受け入れる態度が醸成されたのである。善意であれ、悪意であれ、フェイクニュースが育つ土壌が肥沃に広がっていると考えてよい。

もちろん、信頼度の高い情報を発信する既存メディアも、こうしたネットニュースの市場に進出している。しかし、紙媒体や電波媒体のように圧倒的な力を持つには至っていない。紙媒体や電波媒体が巨大な資本や権利などを持つ者しか参入できない構造になっているのに対して、インターネット上の電子媒体は参入障壁の低いことが特徴である。たくさんの人々が発信する膨大な情報に、どうしても埋もれがちだ。

従来型メディアとプラットフォーム

従来型メディア自体のニュース発信方法も、それほど冴えたものになってはいない。ネットにはネットの流儀があり、取り上げる情報やその情報の表現の仕方には独特のローカルルールが暗黙のうちに要求されている。現時点で既存メディアのネット部門はこれに十全に対応しているとは言いがたく、影響力拡大を妨げる一因になっている。

従来型メディアの組織体としての体力低下も著しく、日本国内の状況を取り上げるならば、二〇一六～二〇一七年にかけてはフジテレビの誤報連発が話題になった。その内容は、宮崎駿監督の事実ではない発言を報じる（ネットのフェイクを信じてしまった）、赤城乳業の人気アイス「ガリガリ君」で架空の味を報じてしまった（ネットのフェイクを信じてしまった）、プロ野球の田中将大選手の自宅を間違う（そもそも個人の自宅を本人の了承なしに公表するのが横紙破り）、四国がオーストラリアと差し替えられている嘘地図をネットから拾って放送するなど、一般人でもきちんと裏を取ればフェイクであることがわかる水準の誤りであったため、報道機関としての信頼をひどく損なう結果になった。

さきにも述べたように、従来型メディアがネットで存在感を発揮するためには、大きな影響力を持つネットメディアの協力が不可欠であったが、流通経路をこうしたネットメディアに独占されることを嫌った従来型メディアが記事配信を抑制したり、ネットメディアも配信に対する対価を極端に切り下げようとするなどの駆け引きが続くことになった。

こうした状況が生じているのはアメリカでも同じで、コンテンツである記事はテレビや新聞などの従来型メディアが作っているのに、それの配信基盤（プラットフォーム）を提供しているだけのグーグルやフェイスブックが広告収入とアクセスの大半を奪っていく構造に従来型メディアは極めて大きな不満と危機感を表明している。かたやグーグルやフェイスブックなどのプラットフォーマー[1]にも、自分たちが存在しているからこそ今までリーチしていなかった人々にも情報が届いているという強烈な自負があり、議論は膠着している。

その結果、記事を作成する既存メディアからは収益確保のために広告なのか記事なのかよくわからない情報が生み出され、ネットメディアは記事数確保のために個人が書いたブログなどをニュースとして取り上げるなどの状況ができあがった。色々な人が書いた記事を、独自の視点でピックアップして紹介する「キュレーションメディア」も世界中で台頭した。もちろん日本も影響を受けている。キュレーションとは、博物館の管理者であるキュレーターが行う情報分類・整理作業のことで、雑多な情報をある評価軸にしたがって構成しなおすことで、見やすく価値のあるものにする。

博物館や図書館はまさにキュレーションが行われた結果を展示するスペースで、ネットでも同様の価値創造が行われることが期待されていた。しかし、実態としては、たんに他人の記事を切り貼りしただけであったり、キュレーションと言いながら都合のいい記事を内製していることが発覚するなど、サービスの前提を揺るがすような情報を提示する企業やサイトが現れた。こうした環境下で、個人が発信する情報が報道機関並みに扱われたり、悪意をもってまるで歴史ある報道機関のように作られた

（しかし偽情報ばかりの）ウェブページが作られ、受け入れられる下地が整った。

そう、これらの情報は受け入れられるのだ。人は信じたいものを信じる、というのは大昔から繰り返されている箴言だが、まさにこれらの新しいメディアには「信じたいもの」が溢れていたのである。それは、個人が発するがゆえに、市民感覚に寄り添った情報であるかもしれない。さらには、市民感覚をすくいとって、より信じやすい形で悪意のある偽情報を流布しようとする試みであるかもしれない。それが善意に起因するものにしろ、悪意に起因するものにしろ、人々が信じるメディアがとても増えたのだ、と確定的に理解することができる。

もちろん、個人による情報発信や、従来型メディア以外の機関が行う情報発信を否定したいのではない。これらは、人々が希求してやまなかった権利が、技術の進歩によって獲得された貴重な事例であり、本来的にとてもよい変化であると思われる。しかし、あまりにも急速に獲得されてしまったため、その権利を行使して情報を発信する側にも、情報を受け取る側にも、状況に対応するだけの知見がまだまだ不足しているように見受けられる。既存の報道機関の信頼性が下落しているとはいえ、独り善がりでない情報の捉え方や、誤報をばらまいてしまった場合の収拾の方法などについて一日の長があることは明らかだ。

公平さの罠

公平であると考えられているものが、実はそんなに公平性を考慮して作られていなかったり、考慮はしていたものの現実には公平になっていないケースはたくさんある。たとえば、こんな実験が有名

図1－1　three black teenagers と three white teenagers

出典：The Guardian（2016年2月10日）The three black teenagers' Search shows it is seciety, not google, that is racist（https://www.theguardian.com/commentisfree/2016/jun/10/three-black-teenagers-google-racist-tweet）より。

だ。グーグルの検索エンジンを使って実際に行ってみた。最初に「three black teenagers」と検索してみる。一〇代の黒人のかたを検索するのだ。すると、こんな検索結果が上位に表示された（実験当時。検索結果は常に変動しています。図1-1として掲載したのは、その様子を報じたガーディアンの画像です）。

同じように「three white teenagers」も検索してみる。こんどは一〇代の白人のかたの検索だ。検索語としては単に

black と white が異なるだけだが、二つの検索語から導かれた結果には大きな印象の違いがある。黒人のほうは、警察によって撮影されたと考えられる絵面になっていて何やら不穏な雰囲気だ。楽しげな表情でもなく、全体として陰鬱なイメージになっている。白人のほうは、快活で楽しい印象を受けるものであり、見ているこちらも明るくなりそうである。当たり前のことだが、すべての黒人学生が犯罪にかかわっているわけもなく、すべての白人学生が楽しいキャンパスライフを送っているわけでもない。しかし、くり返し発信される情報がメッセージ性を伴うに至ることがあるのも事実である。少なくともこの検索結果からは、黒人の人生はより過酷で、白人の人生は希望に満ちているように読み取ることができる。恐ろしいのは、グーグルが悪意をもってこのような検索結果を用意したわけではないことだ。それについて説明していこう。

グーグルは「グーグル先生」などと呼ばれるほど、私たちの生活の奥底に根づくに至った。いまやグーグルで検索をせずに済ませられる日はなくなった。（グーグルデトックスがいかに過酷かは次の記事などを参照のこと https://www.gizmodo.jp/2019/02/i-cut-google-out-of-my-life-it-screwed-up-everything.html）その検索結果はとても信頼性の高いものだと考えられている。「レポートの課題に対する答えが検索結果になかったので、レポートの出題が間違っているとクレームがついた」などの笑い話は有名だ。

グーグルはそのビジネスモデルから極力人手を排除していることでも名をはせている。グーグルが世界に広めた検索アルゴリズムであるページランク法は、それまでのディレクトリサービスのように人手を介してウェブサイトを登録し、整理するものではなかった。あるサイトがどれだけ他のサイトからリンクを張られているか（とくに、人気のあるサイトからリンクが張られているか）を重視して検索結果を出力する。

人間がサイトの重要度などを決めると、どれだけ訓練を受けた専門家であってもバイアスがかかってしまうことがあるが、この方法であれば恣意性を小さくできると考えられたわけだ。これはひょっとしたら小さな民主主義という言い方ができるかもしれない。多くの名もない利用者がとる行動がグーグルによって収集され、一人一人の意見として検索結果に反映されていくのである。専門家の意見が偏重されることのない、フラットな多数決と捉えることができる。

しかし、多数決が必ずしもよい結果を生むわけではない。集団極性化現象(2)のように、間違った情報に多くの人が賛同してしまうことも多い。先の写真の例で言うと、「白人はいいな」「白人は恵まれているのだろうな」「白人に産まれたらきっと生活が楽しいのだろうな」「黒人の人生は大変そうだ」といった差別や偏見、思い込み、誤解が蓄積され、増幅を重ねて、検索結果に反映したのだと考えられる。多数の人が思い込みをしている状況下で多数決を取れば、偏った結果が導かれるのは当然だ。

もちろん、仮に間違った決定であっても、みんなで話し合って決めた方がよい。間違いの責任はみんなで取ろうというのが民主主義の原則だが、なるべくなら間違いは少ない方がいいだろう。

プラットフォーマーに求められるもの

その意味で、ネットの情報流通の基盤（プラットフォーム）を担う企業群（プラットフォーマー）には、まだ情報の流通に対して強固な責任を負う覚悟が足りていないと考えられる。基本的に彼らは自分たちのことを、まさにプラットフォームであると認識しているのである。プラットフォームは情報の生成主体ではない。情報を載せる器だ。ヤフーやグーグル、キュレーションメディアは器を用意しているけれども、そこに載っているニュースやコメントを作っているのは他のメディアであり、個人である。

自らが情報の生成主体であれば、発信した情報には責任が生じるから、情報の公平性や倫理性について厳しい目が向けられ、内部統制にも力が入る。しかし、プラットフォームの場合は、自分が情報の作り手ではないという意識がある。日本国内での例をあげると、プロバイダ責任制限法による責任の制限（器を提供しているだけの組織は、一定の条件下で責任が軽くなる）もあり、どうしても当事者意識が希薄になる傾向がある。この構造が維持される限り、フェイクニュースはまだまだ生産され続けるであろう。プラットフォーム企業の影響力が巨大になるにつれ、この傾向を是正しようという動きが彼らの内部からも外部からも出はじめているが、端緒についたばかりであると言える。

2　トランプを生んだポストトゥルース

トランプとポストトゥルース

こうした状況を積極的に活用し、富や権力を得る人もいる。典型的な例はトランプ大統領だろう。彼と彼の陣営は、フェイクニュースを活用した。政敵であるヒラリー・クリントンの汚点となるフェイクニュースは積極的に取り上げて、それが真実であるかのように批判し、反対に自分がマスコミなどに批判されると、それはフェイクニュースであると訴えた。クリントン陣営の幹部が児童売春組織に関わっていたとされ、根拠もなくその拠点であると喧伝されたピザ屋が批判とデモの対象になったピザゲート事件は特に有名である。

トランプ陣営が自らフェイクニュースを作りだしていたのかどうかはわからない。しかし、彼らが積極的にフェイクニュースを取り上げることで、多くの人にフェイクニュースを作る動機を与えた。そう、フェイクニュースは儲かるのだ。トランプが反応、言及してくれるようなフェイクニュースを発信すれば、そのサイトにはアクセスが集中し、広告収入によって莫大な利益を得ることができる。中には特定の政治的信条をもってフェイクニュースを作り続けた人もいたと考えられるが、何より強い動機は金銭である。

重要なのは、金銭の流通はそれを好んで消費する消費者が存在してはじめて実現する点である。これらのフェイクニュースを消費する大量の人々がいるのだ。これまでの集合知（三人寄れば文殊の知恵）の考え方では、みんなが知恵を出し合うことで、時には専門家を凌駕できると言われていた。多くの人が頼りにしているウィキペディアはこの考えに則って運営されている。誰でも編集できる文書には、誰かが間違ったことを書いたり、悪意のある内容を書いたりしても、それを修正してくれる人が必ずいると考えられてきたのである。

L'Arc-en-Ciel の騒動をご存じだろうか。一九九〇年代に高い人気を博したロックバンド、L'Arc-en-Ciel でボーカルを務めたハイドさんの身長は公称で一六一センチメートルだ。しかし、ネットでは「もう少し低いのでは？」と囁かれて続けていた。いつしか、本当の身長は一五六センチメートルであると主張する検証サイトが現れ、156cm = 1Hyde という単位を作ろうなどの運動が起こった。そんな中で、ウィキペディアにあるハイドさんに関する記述を「身長一五六センチメートル」と編集すると、数時間以内に公称である一六一センチメートルに修正されるという噂が飛び交った。実際にどのくらいで修正されるのか実験する人なども登場し、一種の遊びとして認知された。

しかし、トランプ現象におけるフェイクニュースでは、こうした修正の動きが広く認知されることはなかった。このメカニズムについては後ほど詳しく述べるが、L'Arc-en-Ciel の騒動が起こったときの主要メディアがウェブページをベースとしたサービスであったのに対して、トランプ現象が生起したときにはSNSをベースとしたサービスへと世の中が移行していた。

ウィキペディアや5ちゃんねるなどのウェブページは基本的にオープンアクセスである。誰でもそこに書かれている情報を閲覧することができる。SNSだってウェブの技術をもとに作られているが、会員制サービスであることが多く、それでなくても利用者が自ら作った小集団（グループ、クラスタ、トライブなどと呼ばれる）にわかれている。

もともとの考え方、趣味嗜好、属性が同じ人同士の出会いやつながりを構築・運用するところにSNSの狙いがあるから、あまりオープンではない。オープンなように見えても、そこにはアルゴリズムによる巧妙な仕分けが存在していて、興味のない情報や気に入らない人は目にしないですむ作りになっている。

なぜそのようなメカニズムが作られ、人気を博したのか。現在のインターネットは、IPという基盤技術で構成された世界中を等しく結ぶネットワークの海に、フェイスブックやLINEの各々のグループが形作る孤島が浮かんでいるような状況である。この孤島のことをトライブ（同族）と呼んでもクラスタ（群）と呼んでもよいが、現状のインターネットが世界に対して開かれているとはなかなか断言しにくい。

自分の趣味嗜好にあう人や情報だけが流通する小さな島宇宙が無数に存在している。そんなイメージが今のインターネットの実情だ。SNSはインターネットを分断した。世界へのアクセスという可能性を捨ててまで、なぜ多くの人がSNSを使うのだろうか。趣味嗜好が同じ人や情報で埋め尽くされた空間は、出会いや知識を求めるのに効率がいいから？　もちろんそれもあるだろう。しかし、根底に存在しているのは、同質性に埋もれることは気持ちがいいからだと考えられる。余計なフリクションを産まない。「快」を感じるのだ。

よくネットの書店は読書の可能性を狭めると言われる。リアルな書店に行けば、嫌でも自分が興味を持たない書影が目に飛び込んでくる。ふと手にした書籍が思いがけず有益な知識をもたらすこともある。それをわずらわしく感じてネット書店が使われるのは、やはり興味の範囲内でレコメンド（推薦）してくれるのが効率がよいからだとの説明があるが、本当にそれだけだろうか。自分が培ってきた知識体系や常識が覆される、少なくともその可能性があるような書物に触れるのは、たとえあとになってそれが大きな知見を生むとしても、しんどいことである。自分を否定しない知識群に囲まれるのは「快」なのだ。

そういう読書傾向を批判しているわけではない。私も自分が書いた本のアマゾンレビューを見るのは好きではない。確実に心が折れるからだ。耳に痛いレビューをしてもらうことが自分にとって有益だと理解していても、できれば読まずに引きこもっていたい。自分を否定する情報に触れたくないというのは、人の心が持つ普遍的な働きである。何も読書に限らない。あまりそりが合わない人と旅に出て、振り回したり振り回されたり喧嘩したりすることは人を成長させるだろうが、やはり積極的にしたい経験ではないだろう。

快適を追及すると嘘が侵食する

旅行商品がパーソナル化し、精密にカスタマイズできるようになった現在の日本では、不確実性を求めるような旅の形そのものが消失しつつあると言える。「快」と「不快」があり、どちらも選ぶことが可能な状況下では、「快」が選好される。不快の先に将来の成長や、長い目で見た教訓があったとしても、人は短期的な利益と快を優先するだろう。だから、それを過不足なく満たしてくれるSNSがこれほど普及したと考えられる。SNSはともだちや興味のある情報を見つけてくれるサービスだが、それ以上にそりの合わない人や不快な情報を剪定するサービスなのだ。そのため、SNSが浸透した局面では、集合知によるファクトチェック（事実確認）が効かなかった。正確に言えば、一部の報道機関や個人によってファクトチェック自体は行われたが、それがSNSの孤島に引きこもる各個人のもとへ届かなかったのである。

トランプ政権誕生時のクリントン氏にまつわるスキャンダルでは、従来型メディアがファクトチェックを行い、それがフェイクニュースであると断定した。それにも関わらず、クリントン氏を担当していた捜査官が不審死を遂げた、などのフェイクニュースは根強く人々の間で信じられ続けている。トランプ氏を支持し、クリントン氏のスキャンダルを喜ぶ層の人々は、SNSによって各トライブに分断され、その中で流通するニュース（クリントン氏に都合の悪いニュース）に浸っていたため、それが嘘であると否定するような情報は、ＳＮＳ分断の厚い壁に阻まれ、彼らには刺さらなかったのである。

こうした状況を各国の為政者は正確に理解しており、積極的に活用しようとしている。先に述べた、自分に都合の悪いニュースをすべてフェイクと切って捨てるトランプ氏も然りであるし、ロシアはフェイクニュースによって特定の国家がテロを支援していることを印象づけ、その国家と周辺諸国との摩擦拡大に成功していると言われている。

政治の世界において、客観的な事実や冷静な判断よりも、個人の感情を強く喚起するような強硬な主張や、いっそ嘘であるほどのスローガンが好まれる現象を、ポストトゥルースと呼ぶ。このポストトゥルースを産み落としたのは、一つには個人主義の台頭（ポストモダン社会の進展）が原因であるし、それを強力に推進するエンジンとなったインターネットの隆盛もまた共犯と言える。

3　加速する社会の非寛容化

可視化と非寛容

人の常として、「日常」になってしまえば、大抵のことには耐えられる。私は学生時代、自分が午前中に起きられる日がくるなんて考えてもいなかったが、新入社員になって四月二日にはもう慣れた。満員電車を避けるために一限の必修の授業はすべて再履修に回していたのに、社員としてゴールデンウィークを迎える頃には乗車率二五〇％でも雑誌（まだ当時は紙の雑誌を読むのがあたりまえだった）を読みこなせるようになっていた。お見合いおばさんも、他人の副流煙も、意見のあわない上司も、周囲がみんな同じ状況で、この国では、この社会ではこれが日常なのだと認識できれば、きっと我慢したり、場合によっては受け入れてしまうことすら可能なのだと思う。

しかし、日常性を疑い始めると、とたんにこれらの事は巨大な違和感となって私たちを苛み始める。ベースは個人主義の台頭だ。これを進めていけば、一人一人の人生は異なっていていいはずだし、個は尊重されるべきものなのに、なぜ親戚筋に結婚の時期についてやいのやいの言われなければならないのだろう？　どうして子供の数まで指定されなければならないのだろう？　と疑問が生まれるのは当然だ。この疑問が自分の中で生じた段階では、それは違和感に留まる。しかし、同じ考えを持つ他者や、自分よりうまくやっている他者を発見すると違和感は怒りに変化する。そして、「同じ考えを持つ他者」や「自分よりうまくやっている他者」を効率よく見つけてしまうのがSNSである。SNSの登場によって、社会の各所にくすぶっていた不満がその噴出口を与えられたと言ってもよい。

SNSの本質は「囲い込み」と「見える化」にある。SNSは会員制サービスであることが必須ではないが、会員制になっていることが多いのは、サービスを利用する個人の各種情報が欲しいからだ。多くのSNSはこれを会員登録時に聞き出し、入会後の行動によって情報を追加・補強・更新している。SNSを司るアルゴリズムは、人々の情報消費が最大になることを目標に学習を続けている。この種の情報だと利用者の満足度、滞留時間、クリックしてくれる広告数、落としてくれるお金が増えると判断すれば、アルゴリズムはフェイクニュースを人におすすめすることをためらわないだろう。

その人の趣味嗜好がSNSによって理解され、それに応じた人間関係や情報環境が構築されていくと、だんだん心地よい人、心地よい情報しかSNSのインタフェースには表示されなくなっていく。その人にとってのサービスが完成するのである。

これ自体は決してわるいことでも、突飛なことでもない。よく訓練されたコンシェルジュが決して顧客の気分を害するようなサービスや情報を提供せず、そのホテルでの快適な宿泊を演出するように、SNSによる人や情報のカスタマイズは、SNSにおける快適な滞留を促進する。

SNSのサイトに長く滞留したり、頻繁に広告をクリックすることは、SNS企業の利益に直結し、そのSNSを気に入った利用者が別の利用者を紹介してくれれば、さらに会員数を伸ばすことも可能になる。快適な空間には、人が集まる。SNSがこの十何年間か隆盛を誇ったのは、自然なことである。もちろん、もっと快適な空間を提供してくれるデバイスやサービスが登場すれば、利用者は残酷なくらい素早くそちらに移行する。

このような「SNSの繭」に包まれて、自分と同質な人や情報が常態化し、それが日常（なめらかな日常とでも言っておこう）になると、それまでは気にならなかったちょっとした軋轢（ざわついた日常）も我慢できなくなる。ウォシュレットが日常になると、それがないトイレがちょっと苦手になったり、しまいには我慢できなくなったりするのと同様である。

本当は、適切な軋轢や葛藤があった方が知的な成長や倫理的な円熟に寄与すると考えられるが、目先の快が優先されることは先に述べたとおりである。これが学術の分野だったり、報道の分野だったりすると、何らかの意見を表明した際には、それへの反対意見があることを付言するよう求められるが、SNSにそのような義務はない。利用者の快を求めて、その利用者が属するトライブは際限なく同質化していく。

SNSとエコーチェンバー

グループの同質化が進むと、とても思考力があったり洞察力が優れている人でも、エコーチェンバーの罠にはまることが知られている。エコーチェンバーとは、同じような意見しかない空間で会話や交流を続けることで、その意見の真正性を確信するようになったり、あたかもそれ以外の意見がないように錯覚してしまう現象である。日本語訳をあてるとしたら、「反響効果」くらいであろうか。

たとえば、小さな子が叱られたときに「みんなやってた」と説明することがある。ところがよくよく聞き出してみると、そこでいう「みんな」とは自分を取り巻く極めて小さい人間関係であって、小学校や幼稚園のクラス全体の意見や行動とはかけ離れていることがある。幼いうちは世界が狭いので、身の回りに見える範囲が世界のすべてであるように思えてしまうわけだ。もちろん、様々な経験をつんで成長していくことで、こうした誤った一般化をすることは徐々に少なくなっていく。

しかし、経験をつんだ大人でも、SNSが作るエコーチェンバーに抗うことはなかなか難しい。SNSのアルゴリズムはとてもスマートで、シームレスである。利用者に違和感を覚えさせることなく、耳ざわりのいい、聞いて心地よい意見で世界を構築する。たとえば、ノリノリの企業や個人には追従者も多く、SNSでなくともエコーチェンバー効果がかかりがちである。近年では、文春砲などがその一例かもしれない。当初の人気と話題性は本物だったはずだが、それゆえに追従者たちがエコーチェンバーを形成する。

一度チェンバーが作られると、ちょっとやり過ぎた事例があったり、みんなの心が少しずつ離れはじめていても、エコーの効果でなかなかそれに気づくことができなくなる。そして、何らかのインシデントをトリガーに、チェンバーの中と外のギャップが一気に表面化する。

マスコミなどが配信する情報よりも、フェイクニュースのほうが信頼されてしまう構造と同一だ。SNSは積極的にフェイクニュースを発信するわけではないが、心地よい（しかしバイアスがかかっているかもしれない）情報で編み上げた繭で、人をくるんでしまう。

一方で、SNSは人間関係やその人に属している情報を可視化する。可視化された情報を分析することで、SNSは先ほど述べたような繭を編み上げる。その一部は公開されることもある。たとえば、人物相関図などを作ってくれるサービスなどだ。明瞭に数値化されなければ、とくにどうということもなかった事柄でも、私とAさんの親密度は10、BさんとAさんの親密度は90などと表示されれば、落ち込んだりもする。

気にくわない情報だって隠匿されているわけではないから、利用者が見ようと思えば見ることもできるし、仮に目を閉じ耳を塞いでいても不快な情報に触れてしまうこともある。そんなとき、異なる視点を持つ人や情報に触れたことを喜び、世界をひろげ、知見を深めていければよいのだろうが、人の心はなかなかそのようには動かない。また、あまりにも無防備に強大な力（世界中へのアクセス）が使えるようになったので、それを持て余し、どう使えばよいか戸惑っている人も多く見受けられる。

十分な準備やスキルがない状態で不快な情報に触れると、動揺してそのサービスを使わなくなったり、無視したりすることがある。場合によっては、異なった意見を叩き潰す方向に行動が転じていくこともある。

自らの矜持と存在を守るために過度に攻撃的になり、外敵を退け、際限なく内向きになっていくのは、ツイッターでレスバを挑むインターネット上の極小のトライブも、組織的にフェイクニュースを発信して国の行く末を左右しようとする為政者を戴く国家も、同じである。

（1）日経新聞、二〇一七年七月二〇日（https://www.nikkei.com/article/DGKKZO19025180Z10C17A7EA1000/）。

（2）個人で意思決定したときよりも、集団で意思決定する方が極端に偏った結論になる現象。危うい結論になる場合をリスキーシフト、無難な結論になる場合をコーシャスシフトという。

第2章　インターネットの登場

1　すべてを自由に、無償に、平等に

インターネットのはじまり

インターネットの登場は、一九七〇年代前半に遡る。

もちろん、技術は過去からの積み重ねによって実現されている。最先端のナノマシンであっても、打製石器や磨製石器からの蓄積があってはじめて成形される。したがって、インターネットの起源を細菌間情報伝達に求めることだって可能だ。しかし、そうした極論を排するならば、やはりインターネットのスタートラインは一九七〇年代にあった。

インターネットは通信技術である。通信においてきわめて重要なのが通信規約（通信プロトコル）だ。そして、通信に特徴的なのは、相手が必要だという事実である。技術によっては、まったく相手を要しない種類のものも存在する。たとえば、箒《ほうき》の設計を洗練させていく過程で、どのような技術的飛躍や、独創的な設計がなされても構わない。それは箒として機能するだろう。しかし、通信技術が、

他を考慮しない極端な技術的飛躍を行うには不都合がある。コミュニケーションは一人では成立しない。最新技術をデコレーションしたスマートフォンを太平洋戦争時代の日本に持ち込んでも意味はない。

周囲が発展して全体環境が整わないと使い勝手が悪い技術はたくさんあって、たとえば超高層ビルにしても、単独の建設技術だけでは、建てることはできたにしても、その後の運用が覚束かない。極端な話をすれば、エレベータが発明されていない状況下で一〇〇〇階建てのビルを建てても、そのビルは使い物にならないだろう。したがって、通信技術であるインターネットも周囲に歩調をあわせ、段階的な進化を遂げてきた。また、その進化の中で独特のインターネット文化を育んできたと言える。

インターネットの技術的中核は、IPと呼ばれる規約で、各通信機器がこの規約に従って通信を行うから、世界中のローカルネットワークを相互接続して大規模広域通信を行うことができるわけだ。

しかし、それだけでは利用者である人間は少しもうれしくない。つながるだけではなく、信頼性のある伝達を保証したり、モールスのような符合だけでなく写真や音楽をやり取りできたり、たくさんある情報の中から素早く目的のものを発見できるディレクトリサービスがあったりすることで、そのシステムは使えるものになる。

だから、インターネットも中核技術であるIPだけでは動作することはできず、TCP、JPEG、MP3、HTTPといった隣接の規約群（プロトコルスイート）があって、その規約に従って動作する画像ソフトや音楽ソフト、ブラウザによって複雑に組み上げられている。さらに言えば、こうしたサービスが組み上げられていく中で、インターネットは一種の思想を獲得した。たとえば、オープンであることが望ましい、無償であることが望ましい、すべてが平等であることが望ましいといった思想である。

カリフォルニア・イデオロギー

インターネットが発展した地、カリフォルニアの気候風土に相応しい、自信に満ちた無邪気な楽観主義と言えるだろう。技術と思想が結びつくなどということがありうるだろうか？　十分にありうる。たとえば、SNSの主要なサービスをあげろを言われたら、何を思い浮かべるだろうか。フェイスブック、LINE、インスタグラム……、候補は星の数ほどあるが、ここに5ちゃんねるはあまり出てこない（ちなみにツイッターは、ウチはSNSではないとツイッター社自身が述べている。確かにツイッターの実装は、マスメディア的な伝播サービスの側面が強い）。

SNSの一般的な定義は、社会的なつながりをサポートしてコミュニケーションを促進するサービスで、技術的にはユーザの相互リンク機能などがこれを裏書きする。同様に5ちゃんねるもコミュニケーションを促進させ、他へのリンクを促す。SNSが備えるべき基本機能は包括的に実装されていると言えるのだ。にも関わらず、5ちゃんねるがSNSと呼ばれることはほとんどない。なぜか？　フェイスブックやインスタグラムなどのSNSとは楽しく前向きなコミュニケーションを、容姿と社会的地位に優れた人たちが実名で行い、ただでさえ広いその交際範囲をさらに拡大するツールである。これに対して、5ちゃんねるはその対極のサービスを提供する。

SNSの技術と先に記したような使われ方、大上段な言い方をすれば「思想」は、まったく関係がない。しかし、ＳＮＳはそのように規定され、新しいサービスが実装されるときも、この思想を組み込んだ企画・設計が行われ、ＳＮＳはますますその思想体系を強固にしていくのである。ＳＮＳはただの通信技術でしかないはずだが、そこで行われるコミュニケーションは、他の通信技術（たとえばメールや掲示板やツイッター）と違って、ポジティブでポリティカリーコレクトでないといけない。これと同じ構造で、インターネットもオープンで無償でなければいけないというわけだ。それがインターネットが育つ課程で獲得した文化である。

2　営利企業とインターネットコミュニティの対立

インターネットとプロプライエタリ

グーグルはインターネット企業である。そこに誰も異存はないだろう。アマゾンもそうだ。しかし、マイクロソフトになるとインターネット企業と呼ばれる機会は少なくなる。オフィス３６５、ワンドライブ、スカイプなどの、インターネットがなければそもそも稼働しないサービスを多数有し、インターネット技術の震源地でもある同社がなぜインターネット企業ではないのだろうか。

同社が、インターネットが広く普及する以前から、ＩＴ業界に大きな存在感を持っていた古い企業であることは、一つの理由だ。しかし、それは全体としては些末であって、最も大きな理由は同社についたプロプライエタリのイメージが原因である。プロプライエタリとは、ソフトウェアの開発や頒布に対して用いられる考え方の一つで、要はソフトウェアを独占するのである。自社内でソフトウェアを開発し、利用者に渡すときはすぐに実行できる状態のバイナリコードのみを頒布する。この配布形式は、すぐに使いはじめられる点で利用者にとって便利だが、一方で利用者はソフトウェアの中身を知ることはできない。それを知り、たとえば使いやすくするために自分で変更を加えるようなことは、実行できる状態にする以前のソースコードを入手しなければならない。マイクロソフトはそんなものを配布したりはしない。

ビジネスとして考えれば、それは当然のことだ。ソースコードを公開すれば、技術者が心血を注いで作り上げた技術的試行錯誤のすべてを衆目に晒してしまうことになる。競合企業は喜んでコピーし、せっかくの製品の競争力を削ぐだろう。顧客が勝手にソフトウェアを改変すれば、サポート業務にも影響を及ぼす。知的財産であるソフトウェアを金銭で授受するビジネスを展開するのであれば、プロプライエタリであることはある程度避けられない。

しかし、インターネットの文化はこれと真っ向から対立する。オープンに、無償に、平等に。インターネットはこれを至上の価値として発展してきたのだ。ある個人や企業が書いたソースコードを無償公開する。他の人はそれを参照し、利用し、時にはソースコードに改良を加える。それが再公開されることで、ソースコードはどんどん発展していくのである。限られた資金と人員の中で、期限までにソースコードを完成させ、公開して以降は別のソースコード作りに着手しなければならないプロプライエタリの考え方に比べ、こうしたフリーソフトウェアはいつまでも、それも無償で、発展し続けることができる。お仕着せのプロプライエタリと違って、気に入らない箇所があれば自分で修正することさえ可能である。

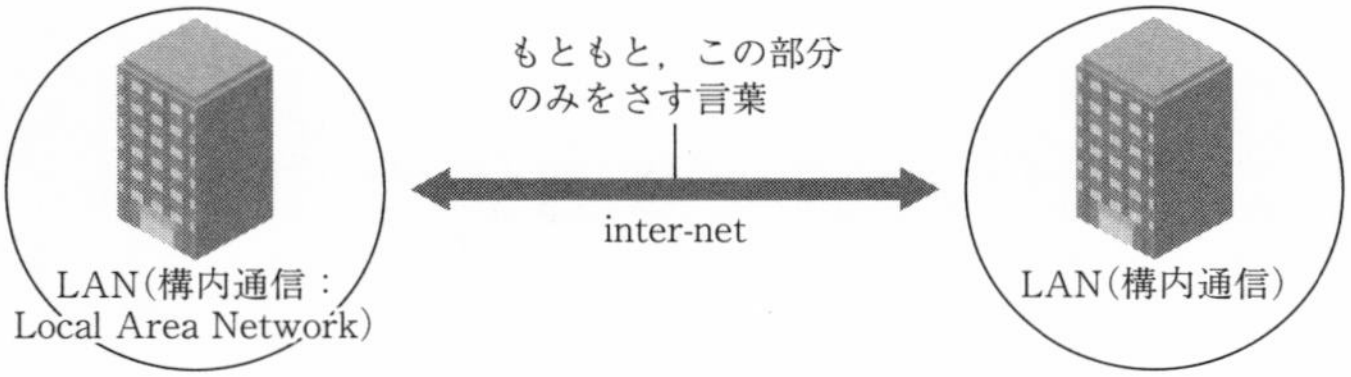

図 2－1　inter-net と Internet

出典：筆者作成。

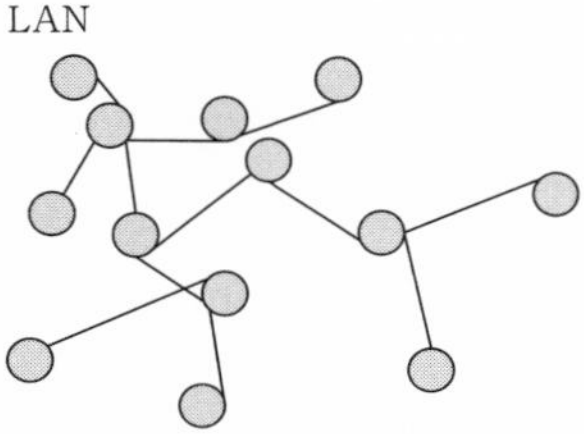

図 2－2　LAN の相互接続をくり返し、世界中がつながる Internet になった

出典：筆者作成。

インターネットの黎明期に、それを資金的、技術的に支えたのが研究者コミュニティであったことも影響し、こうしたある種のユートピア思想はインターネットとともに発展し、これらは分かちがたく強固に結びついている。知的成果物を無償で共有し、さらにそれを発展させていくことは研究者コミュニティで長く行われてきた。インターネットという新しいネットワークを構築するとき、こうした思考と志向が反映されたのである。だから、そのプロセスやソースコードを共有しないマイクロソフトはインターネット技術を扱っていても、インターネット企業ではないと認識されるのである。

思想とセットになったインターネット

思想としてのインターネットはさらに発展を続けている。インターネットは相互通信技術であり、端末の発信能力が高いのが特徴である。どんなにプアな端末でも発信側にまわることができるし、贅を尽くしたデコレーションマシンでも受信のみを行うこともできる自由さを持っている。テレビは放送技術であるため、発信施設であるテレビ局が圧倒的な発信能力を誇り、受信設備であるテレビは基本的にその情報を受信して表示するだけだ。テレビ局とテレビの発信能力は平等ではない。インターネットはどの端末でも発信側の機能を担うことができるため、テレビ局が持っているパソコンも、自宅のこたつの上に置いてあるパソコンも、潜在的な情報発信能力に何ら差違がない。

この事実は人々を熱狂させた。ここでいう「人々」は、おもに大学や研究所にいるような知的エリートである。「ついに、個人の情報発信力が放送機関のそれに追いついた」「世界中の人々と端末を通じて、居ながらにして議論できる」。インターネットの商用利用が解禁され、各種の民間サービスが立ち上がり、インターネットの利用者が劇的に増加したとき、彼らの間でオプティミズムに溢れた言説が飛び交った。テレビ局や新聞各社だけが保有していた情報発信能力という特権を、市井の人々にわけて与えることができると、彼らは考えたのである。これはプロメテウスの火のようなものだ。たしかにそれは、彼らがずっと思い描きながら達成できなかったユートピアである。単にローカルエリア（構内通信）を相互接続する通信技術に過ぎなかったインターネット（inter-net）が、世界中を結ぶネットワーク（Internet）になり（図2-1、2）、ユートピアを目指す思想になったのだ。

3　自由と独立を勝ち取ったかに見えた集合知

集合知がもてはやされた頃

実際、このユートピアはよく機能した。インターネット上に保存される情報は、はじめは絶対的に量が足りなかったが、蓄積が進むとその連続閲覧性の高さと、何より無償であることにより、すぐに多くの利用者を惹きつけた。このとき、インターネット上の主要サービスはWWW（ワールドワイドウェブ）、すなわちウェブページだった。WWWを構成する技術であるHTML（ウェブページを記述する言語）とHTTP（HTMLをやり取りするための通信手順）はもともと論文や技術マニュアルを素早く簡便に読んだり、技術情報を容易に交換するために発想された技術であり、現在の電子書籍の礎になっている技術でもある。ウェブページは技術的には電子書籍そのものであると言ってもよいほどだ。

端末を選ばず情報を閲覧でき、読みたい関連資料があればハイパーリンクによって、すぐにその資料を読むことができるWWWは、それまでの読書体験、資料閲覧体験を一変させたのである。黎明期こそ、WWWでどんな情報を発信してよいか目算がつかず、「常に更新されているウェブページは、ホワイトハウスのコーヒーメーカーの実況中継だけだ」などと言われていたが、多様な知見を持つサイト群がすぐに立ち上がった。

新聞社はニュースを流し、出版社は辞書を提供した。これは、当時の利用者にしてみれば、大きなパラダイムシフトである。お金を払わなければ、あるいは図書館に行かなければ触れることができなかった情報に、自宅にいながらにして、しかも無償でアクセスできるのだ。アダルトサイトの事例が端的で、有償でモザイク入りの画像を見ていたものが、いきなり無償で無修正画像にアクセス可能になったのである。

逆に、インターネットへのアクセス手段を持たなければ、こうした役得は享受できなかった。デジタルデバイドの問題はもっと以前から存在していたが、決定的になったのはこの時期だ。インターネットにアクセスする手段や費用、知識、技術を持っている人だけが、いきなり国や法の垣根を越える力を持ったのである。

有志が開発したOSのソースコードが公開され、世界中のコミュニティがそれを入手して改良した。改良版は次々に現れ、それまでにない速度感で進歩を体験することもできた。当時、数年に一度しかメジャーアップグレードがなく、更新に高額な費用がかかるウインドウズとは雲泥の差だった。

「みんなが力をあわせて、世界をよくする」の一つの到達点はウィキペディアだろう。ウィキペディアは誰でも自由に編纂できる百科事典である。ウィキペディアの登場は、控えめに言っても出版社への挑戦だった。それまで、辞書や辞典は専門家が幾重ものプロセスを経てチェックし、おもむろに出版するものであった。確度と精度の高い情報はそのようにしてしか編纂できず、それを担えるのはプロとしての出版社と編集者だけであると考えられていたのだ。

素人が情報を持ち寄って辞典を編纂するという試みに、多くの新聞社・出版社は冷笑的だった。でも、彼らの最悪の予想すら超えて、きわめて多くの人がウィキペディアにアクセスすることになった。当初のウィキペディアに掲載された情報は、雑多で混沌としていた。信憑性の疑わしいものや、一見して虚偽とわかるものすらあった。そこまでは、識者の予想通りだったのだ。

しかし、それらの情報はすぐに修正された。良識ある利用者、知識のある利用者が、書かれた記事の誤謬や悪意のあるフェイクを、正しいものに書き換えた。情報の量と質においても、ウィキペディアが紙の辞典を超えるケースが出てきた。ページ数の制約がなく、何度でも試行錯誤して編集され、何より大量の書き手がいるのだから、これはある意味で当然のことかもしれない。

「無償のものの方が、良質で分量にも恵まれている」。この状況は「集合知」といった言葉で膾炙し、理解され、受け入れられた。思想だけでなく、実態としてのユートピアが実現し、さらに無限に発展していくように思われたのである。

新しいユーザの流入とインターネットの変質

しかし、人類が到達したかに見えたエデンは、おもに参入者の量によって、その様相を変貌させていった。すべての人に情報発信の機会を与え、情報格差をなくし、平等な世界を実現することは、理念としてはきわめてただしく、おそらく反論の余地がない。反論の余地がないゆえに、インターネットの実装に疑義を挟むと、自由と平等の実現に反対するかのように受け取られることもあり、議論が停滞したり、思考停止を生んだりする土壌にもなりうる。誰でも参加できることはよいこと、無償で配布されることはよいこと、みんな平等なのもよいことだ。私もそう思う。同じものがもらえるならタダのほうがいいし、できれば見ず知らずの人に見下されたくもない。でも、人類がずっと希求してきたこれらの特権は、取り扱いが難しいものでもある。

誰かに権利が集中するのはよくないが、その集中する誰かは、権利という取扱注意の劇薬を扱う訓練は受けてきた。それは古来からの帝王学でも、近代的な官吏養成学校でもそうだ。権利の集中は必ずしも民主制を否定しない。むしろ効率を考えてある程度の権利集中は行うが、互いに牽制したり、監視したりするしくみを洗練させてきたのが、近代民主制の歴史である。ところが、個人主義および価値観の多様化の進展や、インターネットの普及により、にわかにそれぞれの個人が様々な権利を手にできるようになった。くり返すが、それ自体は、まったく悪いことではない。しかし、権利というやっかいなものを取り扱う技術や覚悟が全員にあったかといえば、答えは否だと思う。

スマートフォンを買うために、情報倫理について講義を受けておく必要はない。ユーチューバー（ユーチューブに自作動画を投稿し、ユーチューブからの広告収入で生活する個人）になるために放送免許が必要なわけでもない。もちろん最初からこれらの道具が持つ「力」を危険なものと感じ、慎重に扱う利用者もいる。しかし、多くの人は一家電製品に過ぎないスマートフォンを扱うのに、細心の注意を払うことはない。報道番組を制作しているディレクター並みの技倆と注意深さを持てと言っても、それは無理だ。しかも、スマートフォンを市場に送り出している当のメーカーたちがこれを助長させている。メーカーはアプリをどれだけさりげない存在に見せるか、カジュアルで難解なマニュアルを読まずに使えるか、スマートフォンをどれだけ日常生活の連続線上で使えるのか、常にCMやPR記事、SNSに載せて、発信し続けているのだ。

これはインターネットの黎明期において生じた現象とは明らかに異質なものだ。インターネットはその最初期から、下手を打てば世界に対して誤情報を配信したり、情報漏洩をしでかしてしまうリスクがあったが、そこに参加している人は技術教育を受けた人がほとんどだった。技術をよく理解していない状態でインターネットを使いこなすことは難しかったし、初めての人が使いこなせるようになるまでには、覚悟や素養を確立するのに十分な時間が必要だった。掲示板などのサービスは、匿名で行われれば荒れることが経験的に認知されていたため、モデレータと呼ばれる管理者がおかれ、コミュニケーションが円滑に運ぶよう介入した。こうしたしくみが、インターネットの商用解放とともに徐々に変質していったのだ。

多くの人がインターネットの世界に参入し、巨大なビジネスチャンスやコミュニケーションの輪が形成されたが、同時に、増えすぎた掲示板ではすべてに満足なモデレータをおくことは不可能になった。乱立するサービスの中で、他のサービスとの差別化を図るために、それまでは不文律として推奨されてこなかった匿名掲示板や匿名メッセージングが目立つようにもなった。

インターネットの普及期において、ウェブページの主な用途は広告や娯楽になり、利用者の爆発的な増大に大きく寄与する結果になった。利用者の爆発的増加現象自体が、手作業で質のよいウェブサイトを黙々と登録していくタイプのディレクトリサービス（初期のヤフーなど）を退場に追い込み、グーグルを中心としたクローラを駆使した自動登録型の検索エンジンを台頭させる契機にもなっている。

はじめは、単に数が増えただけだった。それまでにも、個人が情報を発信できるツールやプラットフォームは存在したが、インターネットほど潜在的な利用者数が大きな場ははじめて現れたのである。やり取りできる情報も、コンピュータが扱える内容であれば、ほぼ制限がない。従来のそれとは明らかに違う、特異で、異質なネットワークである。

情報発信を望んでいた個人がおそるおそるといった体で日記や評論などをウェブページのかたちでアップロードしはじめ、報道機関なども それを生暖かい態度でおおむね好意的に報じた。このとき報道機関は、情報発信者としての自社がネットに脅かされるようになるとは毫ほども考えておらず、新しい草の根発信ツールは市民社会をよいものに変えていくだろうという程度の、擁護者の立ち位置からの取り上げ方を採用した。

ところが、玉石混淆の言葉通り、量が莫大になると中には質がよいものが混じってくる。一部には報道や出版と肩を並べるものも現れた。母集団が大きいのだから当然のことといえばその通りだ。将来の作家や編集者、才能はあるものの別の道を選んだ者などが大挙して参入してきたわけである。量は質を産む母体であるから、これはよいことであるとされた。現実問題として、膨大すぎる情報の中に、質のよい報道や作品が埋もれてしまうリスクは大きかったわけだが、検索エンジンを駆使して「玉」を見つけることが期待された。何よりも利用者側も右肩上がりで増加の一途をたどっていたので、そうした人たちの選球眼がいずれ「石」を駆逐するだろうと楽観的に考えられていた。結果的に「石」の駆逐は困難で、フェイクニュースなどの「石」に飛びつき続ける利用者が後を絶たないのは、先に議論した通りだ。このことは、後段でも述べる。

しかし、ここでアジテーションを行う者もいた。つまり、ネットの情報が質と量においてすでに既存のマスコミを超えたのであるから、今後はネットが情報発信を主導すべき、少なくとも情報流通の重要な一翼を担う主体として、マスコミと同列に考えられてもよいのだと主張したのである。マスコミ+ゴミの合成語として、マスゴミという言葉が頻繁に使われ出したのも、この頃だ。この主張は一見、説得力があるように見えた。ネットが膨大な量の情報を生み出し続けているのは疑いようのない事実である。質についてはお世辞にも良好な情報ばかりではなかったが、それこそ供給量が維持されることで、従来型の報道機関や出版社と同等以上の情報、コンテンツが混じっていることが約束されるように考えられた。

速報性についても、その優位さが強調された。重厚な校正・校閲体制がある従来型の報道機関や出版社と比較すると、ネットの情報は明らかに速い。マスコミの報道しないことがネットニュースに載っていることは多々ある。ネットニュースが報じた後に、テレビ・新聞が報道を行うこともあり、インターネットの旭日とマスコミの落日の象徴として語られることが増えた。その議論がもう少し進むと、従来型の報道機関や出版社はすっかり政権にスポイルされており、時の政権にとって都合の悪い真実は報道できない、今やそれが可能なのはネットだけなのだ、という主張へと昇華した。あるいはその真逆だという主張もある。いずれにしろ、極端なのである。

実際に、中高生へのアンケートやインタビューでは、マスコミよりもネットの情報を信頼する割合が、明確に向上し続けている。報道機関が提供する情報よりも口コミが信用されるのは、過去から見られる類型で、ネットの情報が口コミの感覚で消費されていることを考慮すれば別段新しい視点ではないが、口コミとは伝播力が桁違いなので、社会に与えるインパクトも当然極大化している。

もちろん、近年の報道にはネットの情報にインスパイアされて行われるものもある。政権と癒着して、あるいは忖度が過ぎて報じないことも、数多あるのかもしれない。しかしそれは、従来型の報道・出版の決定的な構造欠陥というよりは、単に数の問題であると考えられる。テレビにしろ新聞にしろ雑誌にしろ、尺や紙幅の制限が存在する。どれだけのネタに恵まれていたとしても、無尽蔵に情報を提供したり、掲載したりするわけにはいかない。そこには自ずと取捨選択がかかり、より報道すべき出版すべき価値の高いものから俎上にのぼることになる。切り捨てられる情報は、たとえば報道する価値があったとしても局所的な価値にとどまったり、当事者を守るために報道すべきでなかったりと、様々な境界条件によって選別される。そこに悪意はなく（むしろ善意があり）、全体最適を図ろうとしているだけだ。

リプリゼンテーションの問題

しかし、選ばれなかった情報の当事者にとってはそうではない。Aというニュースがあり、全体としての重要度が低く切り捨てたとして、そのAの当事者は納得できないだろう。当事者にとって、自分が抱える事案はいつでも無限大の重みを持つものだからだ。すると、この当事者はマスコミが自分の重大事を正しく取り上げてくれないように感じる。自分のことがニュースで取り上げられている、自分が感情移入できるような人物が映画やドラマで表現されていることをリプリゼンテーションと呼ぶが、自分はリプリゼンテーションされていないように感じるのである。

これは当然のことだ。映画やドラマ、小説や学説、報道において、リプリゼンテーションの問題は深く根ざしている。自分と同じ属性を持った登場人物が、映画やドラマにまったくいなければ、自分が社会から取り残された人間のように感じられる。報道において、自分の立ち位置に立った発信がまったくなければ、自分を社会から切り捨てられた人間のように感じるだろう。

少なくとも「日本人である」というアイデンティティを多くの人が共有しているこの国では、強烈に表面化する事例は少ないが、たとえばトランプは二〇一六年の大統領選において、白人低所得者層の抱える「自分たちが正しくリプリゼンテーションされていない」という不満をきわめて上手にすくい取った。

また、「ホワイトウォッシュ」も、リプリゼンテーションに起因する問題である。ホワイトウォッシュとは、たとえば多様な人種が登場する原作小説を映画化するときに、配役が白人に置き換えられてしまうことを指す用語だ。原作の小説やコミックにおいて、自分と同じ属性(人種、来歴、階層、思想、嗜好など)を持つ人が登場していれば、その小説世界において、ひいてはこの社会において自らの居場所が確保されている安心感を得られる。ところが、それをベースに映像作品が作られる段で、自分とは異なる人種の演者がその役を演じるのであれば、自分が排除されたように感じるのも当たり前である。

こうしたリプリゼンテーションの問題は以前から存在していた。現代のきわだった特徴は、個人の情報発信能力が高まったゆえに、過去には表象することがなかったリプリゼンテーションへの小さな欲求が可視化されたことだ。

ホワイトウォッシュへの抗議などは、表面化し、可視化されることが人々の有り様をよくする結果を導くかもしれない。しかし、ニュースの尺や誌面など際限なく拡張できるわけではなく、どうしても、全体最適を図るために誌面の調整が行われ、そこでこぼれるニュースが出てくる。その判断に合理性は存在するが、先にも述べたように利害関係者にとって取り上げてもらえなかった事実(リプリゼンテーションされなかった不満)にはかわりがない。取り上げてもらえない理由には、速報性に起因するものもある。裏が取れなければ報じることができない従来型のマスコミに比べて、個人の投稿者(それが匿名の繭に守られていると考えるのなら、なおさら)は、いくらでも飛ばし(憶測で書くこと)ができる。その現象をもって、「マスコミが報じない真実」が形成され、場合によってはネットにこそ真実があるとの見解を持つに至る。

失われる報道と出版の担い手

そのニュースが正確、かつ重要であった場合、チェック工程を経て従来型のマスコミが後追い報道をすることもあるだろう。すると、ネットニュースの方が真実を躊躇なく伝えるイメージが形成される。また、仮に先行して報じられたネットニュースに誤りがあっても、それが十分に伝播した後であれば修正は困難だ。面白みのない修正記事など、わざわざプル型の情報配信で閲覧する利用者は少ないだろう。こうした駆動原理で、マスコミが偏向報道をしているのではないか、その取材力や倫理観は地に堕ちたのではないかという疑義が生じ、それはエコーチェンバー効果などを経て、やがて確信に至ることになる。私は別にマスコミを擁護したいわけではない。マスコミがろくでもない面を持っていることは百も承知である。しかし、ネットが同様にろくでもない面を持っていることもまた事実だ。

こうして、玉石混淆のコンテンツがネット上に大量発生し、多くのプロが廃業に追い込まれた。権威は、ただ権威であるという、それだけの理由で攻撃され、多くは失墜した。プロや権威が嘘をついていたり、ぼったくっていたりした場合は、これは誠に正しく、胸のすくエピソードである。

しかし、中には適正価格で良心的なサービスを提供していた専従者が、質の低い大量のコンテンツに侵食される形で姿を消してしまったケースもある。食い詰めたライターの話には事欠かない。出版社も減り、新聞社は青息吐息である。彼らの持っていた知識や技術は失われ、後には嘘か誠か判然としない情報が残ることになった。

ウィキペディアの執筆ガイドライン「信頼できる情報源」の項目には、以下のように書かれている。

一次資料

ある事柄の状態について直接の証拠となる記録物です。言いかえれば、書こうとしている対象の状況に非常に近い情報源です。この語は多くの場合、出来事の参加者やその出来事の目撃者によって作られたドキュメントを指します。公式な報告書、手紙の原本、実際に出来事を目撃したジャーナリストによる報道記事、あるいは自伝などになるでしょう。権威ある機関によってまとめられた統計も一次資料と考えられます。一般に、ウィキペディアの記事は一次資料に基づくべきではなく、むしろ一次資料となる題材を注意深く扱った、信頼できる二次資料に頼るべきです。ほとんどの一次資料となる題材は、適切に用いるための訓練が必要です。特に歴史についての主題を扱う場合がそうです。ウィキペディアの記事で一次資料を使ってよいのは、信頼できる出版元から公刊されている場合だけです。例えば書記官によって公刊された公判記録、編纂された全集の中に登場する歴史文書といったものがこれにあたります。信頼できる出版元によって、その情報が入手できる状態になっていない一次資料は、使ってはいけません。

二次資料

ひとつまたはそれ以上の一次資料または二次資料を要約したものです。学者によって書かれ、学術的な出版社によって出版された二次資料は、品質管理のために注意深く精査されており、信頼できると考えられます。

ウィキペディアは集合知の権化であり、三人寄れば文殊の知恵を実践するサービスの象徴として捉えられてきた。しかし、そのウィキペディアでも、資料の正確性を担保するためには「信頼できる出版元」が必要と言っているのだ。情報の洪水がライターや出版社を飲み込み、消し去ってしまったとき、このガイドラインが言う「信頼できる出版元」はもう存在しない。

4　インターネットの公平性について

インターネットの受け止められ方

インターネットは透明で公平なネットワークだ、そういうことになっている。

これは日本で商用インターネットが解禁になったころから共有されている幻想である。私的な話で恐縮だが、私の出身学部は情報学がカリキュラムで一つの柱になっていて、整ったインフラが売りだった。開設は一九九三年、私はこの年に一期生としてそ

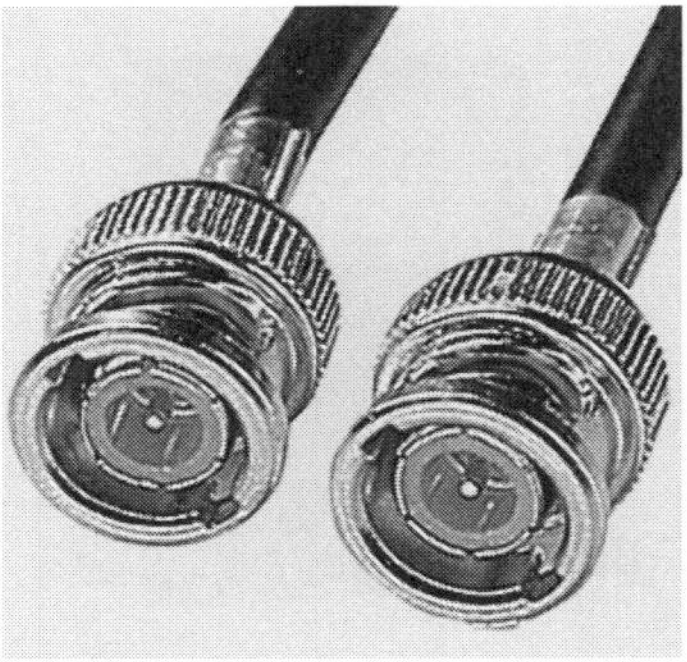

図2－3　10Base2（当時の標準的なLAN接続回線）
出典：サンワサプライ（https://www.sanwa.co.jp/product/syohin.asp? code=KB-10B2-05K）より。

図**2－4**　NeXT
出典：Wikipedia（https://ja.Wikipedia.org/wiki/NeXTstation　2020年6月15日）。

の学部に入学するのだが、ぴかぴかのＬＡＮケーブル（図2−3、10Base2、今となっては考古学的な価値がある）とジョブズがアップルを追い出されて作ったNeXTSTEP（図2−4）の端末が印象的であった。

一九九三年というのは、まさに日本でインターネットの商用利用がはじまったタイミングで、新規学部でも各端末がグローバルアドレスを持ち、インターネット接続を行うことができることになっていた。なっていた、というのは、確かにインターネットに接続はできるのだが、まだ何にもコンテンツがなくて、せいぜい知り合い同士で学内メールをやり取りするのが関の山だったからだ。それは別にＩＰを使わなくても、当時のＳＭＢ（サーバメッセージブロック）だけでも実現可能なことだった。

しかし、あれば使いたくなるのは自然なことで、積極的にサービス提供をはじめていた朝日新聞のウェブサイトを眺めに行きながらポーカーをやったり（当時としては潤沢だったのだが、大学全体で10Mbpsの接続だった。記事に画像などあった日には、全部表示されるまでに余裕でコーヒーを沸かす時間があったのである）、ホワイトハウスがなぜか定期的に自分のところのコーヒーメーカーの様子をアップしているので、うちの大学のコーヒーメーカーよりだいぶ高価そうだなあ、などと考えていたりした。

実態はそんなふうだったのだが、学部の鼻息は荒かった。事務的には最新鋭の機材を入れた自負があっただろうし、何よりすごかったのはお年を召した教授達のユートピア論だ。「インターネットは世界を変える」、そういうことになっていた。実際にインターネットは、このあと世界を変えることになるのだが、私が授業で教えてもらったのはもう少し異なる文脈だった。「インターネットではすべてが公平だ」「今まで受信者の立場に甘んじていた一般大衆が、発信者の立場に立てる」「物理的距離を超克して世界中の人と議論ができる、友だちになれる」「すべてがオープンになり、価値のある情報が世界中に行き渡る」など先生たちの主張を聞いていると、なんだか桃源郷に至った趣すらある。先生たちはそう思っていたのだろう。ついに直接民主制が実現するというビジョンを熱っぽく語っていた先生もいた。

しかし、私は（もともと懐疑的で友だちが少ないのだ）ちょっと眉につばを付けてしかその話を聞くことができなかった。インターネットは確かに世界中を結ぶインタオペラビリティという意味において革新的だったが、規模を狭域に絞ればネットワークというインフラや、その上で稼働する掲示板、フォーラムといったサービスはすでに存在していた。私はゲームの攻略情報を求めてそこにどっぷり使った思春期時代をおくったが、不特定多数の人が自由に発言できる場というのがそんなにいいものには思えなかったのだ。

自由な発言は場を荒らす。一〇〇人の利用者がいて、九九人が品行方正な使い方をしていたとしても、悪用する一人がいるだけで長期的にはそのサービスは荒れる。匿名、記名はこのときあまり関係がない。そもそもインターネットにはそれほどの匿名性がない。自明と言えば自明である。インターネットとは通信のインフラであって、放送のインフラではないのだ。通信というのは、送信元と送信先を特定することによって成立するコミュニケーションである。インターネット接続ができるということは、自分も相手も何らかの技術によって情報を特定されているということである。匿名であれば通信ができない。

それでも、インターネット通信が匿名で行われていると信じられているのは、インターネット上で利用者（正確には端末）を特定するための情報がＩＰアドレスと呼ばれる無機質な32ビットの数値で表現されているからである。名前が出ない、住所が出ない、この安心感が2ちゃんねるなどの文化を生んだと言えよう。

しかし、電話番号から住所や氏名を解決することがそれほど難易度が高い作業ではないことと同様、ＩＰアドレスもどこかでは住所や氏名に紐づけられている。私たちのほとんどはＩＳＰを通じてインターネットに接続しており、ＩＳＰは契約時にこれら個人情報を取得した上でＩＰアドレスを付与している。

したがって、インターネットというのは、思ったほど匿名の空間ではないのだが、現象面においては多くの利用者はこの点をあまり気にしていない。リテラシの不足で匿名を信じている人にとっては、そこは匿名の空間だし、各種の名前解決によって足はつくものなのだ、と理解している人も、荒らすときは荒らす。

最近、田中辰雄氏の素晴らしい研究があった。掲示板利用者の性向を定量化したのである。詳しくは原著をお読みいただければと思うが、ネットの議論は極端に振れることが多い。それは何故か、ネット利用者というのはそんなに極端な意見を保有していて、付和雷同しやすいのか。田中はNoであると言う。ネット利用者も（当たり前のことだが）リアルな世界を生きている一般利用者と同じように、たとえば少数の左よりの意見の人がいて、同じく少数の右寄りの意見の人がいる。そして、そこにサンドイッチされる中道の大きなマジョリティが存在するのである（図2-5）。

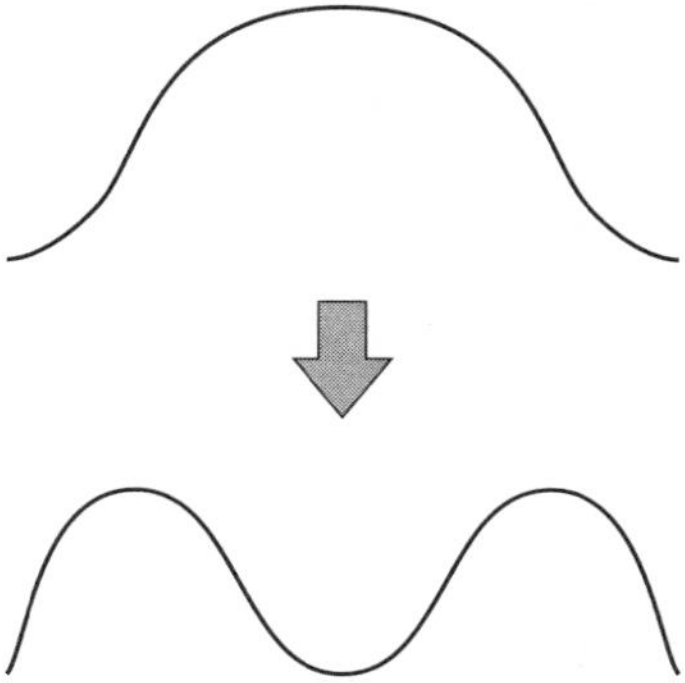

図2-5　マジョリティの消失
出典：田中・山口（2016）より筆者作成。

　しかし、ここでひとたび議論が起こると、ネットには左か右の極端な意見しか存在しないように見える。マジョリティは発言しないのである。そもそも、中道的なマジョリティはおとなしく控え目で積極的な発言をしない人が多いが、匿名が信じられている空間で議論が生じ、場が荒れると、すぐに退出してしまうのである。それはそうだろう。バランス感覚のよい人は、いつまでも荒れた議論の場になどいたくない。退出がしやすいネット環境であればなおさらだ。私だって嫌だ。私は人に怒られるのが怖いので、リアルな会議でもほとんど発言しない。ネットで議論など何をか況んやである。ネットでまで人に怒られたくはないのだ。かくして、この荒れた言説の場で、最後まで発言をし続けるのは極端な主張を持っている人ということになる。彼らはメンタルが強かったり、単に人の話を聞いていなかったりして、荒れた場でも発言を維持する力量が高いのだ。

　経験的には知られていた事実だが、これを定量的に示したことで、田中の論考は高く評価されるべきだ。ただ、一つだけ違和感があるのは、田中がこの論考のかなりの部分を「インターネットでいかにより良い議論をすべきか」に費やしていることである。その過程で、サロンと呼ぶハーフクローズドなサービスの提示などがなされるのだが、私はそもそもインターネットというインフラは議論になど向いていないと思うのである。議論に必要な言語外情報を伝える手段がまだまだ未熟だ。今後、技術の発展でこうしたプアな状況は改善されていくと考えられるが、いましばらくは議論をしたいならリアルでやるのが現実的かつ時間を無駄にしない方法だろう。

荒れるインターネット

どんなサービスやアプリケーションを載っけようとも、遠隔地、非同期の通信は議論には向いていない。それは、インターネットの挫折でも何でもなく、たんにインフラとしての特性だ。透明で公平で誰もがアクセスできるリソースは残念ながら荒れる。公園の公衆トイレはあまり綺麗ではない。ホテルのように、アクセスが制限され、適切に管理された環境があって、はじめてトイレを綺麗に保つことができるのである。

先にも述べたが、このことはPC－VANやパソコン通信の時代に経験的にわかっていたことなので、インターネットの商用黎明期にも、気の利いた管理がされている掲示板やフォーラムであれば、必ずモデレータがおかれて議論の方向性をリードしたし、そもそも匿名での書き込みを許さないフォーラムも多かった。

しかし、インターネット利用者の拡大とともに、モデレータをおけるような余裕は失われていったし、利用者は擬似的な匿名を享受できる掲示板を選んだ。最たるものが2ちゃんねるである。2ちゃんねるのことを批判したいわけではない、5ちゃんねるとなったいまでは昔日の影響力を失ったが、一つの時代をつくったサービスであり、巨大な影響力があった。外部からは無法地帯のように言われることもあるが、少なくとも2ちゃんねる内では自治がなされて、それなりの秩序があったのである。しかし、決して議論を深めたり、高めたりする場所でなかったことも、また事実である。すべての発言が担保される公平な場所は、公平に荒れて、公平に炎上するのだ。

揺らぐインフラ

そして、最近ではその公平性やオープン特性も怪しいものになりつつある。

繰り返すが、インターネットとはインフラである、整地された土地のようなものだ。その土地は基本的には出入り自由で、何をやってもいい。みんなでお祭りをやってもいいし、極小の人数で内向きなミサを開いてもいい。インターネットがオープンだと信じられているのは、そういう理念があったからである。

インターネットはインタオペラビリティの高いシステムで、色々なネットワークや端末を相互に接続することができる。しかし、それは相互に接続しなくてはならない、ということではないのだ。インターネット上に、黒電話しかつながらないシステムを作っても別に構わない。そうならなかったのは、インターネットを立ち上げた人々が「インターネットはオープンであるべき」という理念を持っていたからに他ならない。そう、巷間で言われるインターネットは技術だけでなく、こうした理念も込みの概念なのだ。

接続技術、通信技術としてのＴＣＰ／ＩＰだけでなく、オープン、無料といった理念がセットでインターネットは形づくられている。マイクロソフトがインターネットで存在感を主張できない、あれだけの企業がなぜ、と問われるが当然と言えば当然だ。マイクロソフトはプロプライエタリでのし上がってきた企業である。プロプライエタリとは、技術を囲い込み、自社のものとして秘することで競争力を担保し、商品を売っていくスタイルである。ここでプロプライエタリがいいのか、ノンプロプライエタリがいいのかは問わない。いい悪いではなく、そういうフィロソフィーなのだ。そういう理念を持つマイクロソフトが、オープンと無料が素晴らしいという理念を根底に持つインターネットと相性が悪いのは、先にも述べたように自明である。

インターネットの雄となったグーグルも、けっこう秘密主義な企業なのだが、提供しているサービスはフリーミアムを中心に無償で組まれており、オープンな技術をベースに作られている。見かけ上は、インターネットのフィロソフィーと合致するのである。この差が両者の立場を決定づけたと言ってよい。

インターネットを構成する基本技術であるＴＣＰ／ＩＰは、仕様をオープンにしており、それをもとに作られたサービス（たとえば、ウェブやメール）もほとんどが不特定多数の人に開かれてきた。それでうまくやってきたのである。インターネットは、この三〇年間、ほとんどのプロプライエタリシステムを駆逐してきた。インターネットの信奉者がオープンと無料が素晴らしいと考えるのも根拠のあることなのだ。

しかし、ここに綻びが生じている。インターネットがオープンで無料なのは、アプリオリなものではなく、多分にインターネットにまつわる思想的な問題だと述べた。したがって、インターネット上に有料の会員制サービスを作ってもよいのである。これまで、そうしたプロプライエタリモデルはうまくまわってこなかったが、遂にキラーサービスが誕生することになる。ＳＮＳである。

ＳＮＳの登場と拡大

ＳＮＳは、ソーシャルネットワーキングサービスの略で、身も蓋もない言い方をすれば、人と人との関係を可視化して、知らなくてもいい事実（あの人とは仲がいいつもりでいたけど、実際にはあんまりやり取りしていないなあ）を暴き出すしくみである。際限なく人を閉じさせるシステムと言い換えてもいい。ＳＮＳの売り文句として、「友だちの輪を拡げよう」はよく使われる。確かにフォロワーを一〇〇〇万人も持っている利用者もいるが、そういう人はＳＮＳというツールがなくても友だちの輪は広かったろうし、ごく少数の例外でもある。一般的なＳＮＳ利用者の人間関係は広がらない。閉じるのである。

ＳＮＳは快適な人間関係を形成するために使われるツールだ。快適な人間関係は、基本的には同属性の人間が集まることで完成をみる。それはたとえば、職場や教室の人間関係でもそうだろうが、母集団がせいぜい数十人の中から選択する友人や仲間には自ずとノイズが入る。そうそう同じ趣味やバックグラウンドを持った人間ばかりを集められるわけではない。しかし、インターネットとそのサービスの母集団は大きく、検索技術は日増しに洗練の度を加えている。ＳＮＳ上では完璧に同質な属性を持つ利用者だけで集団を作ることができる。もちろん、その集団は大きくはならないが、居心地のいい空間を作ることはできる。そして、その空間から出て行かなくなるのだ。SNSが立脚する技術もこれを後押しする。SNSは安全・安心な空間を演出するために、登録制や招待制を敷いているサービスが多い。そして、検索エンジンのクローラ（ウェブの探索システム）が入れないようになっている。

これは当たり前だが、重要なことだ。インターネット上で生成・蓄積・消費される情報の大半はこれまでウェブに存在していた。人が一生をかけても閲覧しきれないほどの膨大な情報の海から、それでも必要なものを抜き出して見ることができていたのは、検索エンジンが存在しているからである。そして、検索エンジンがなぜ適切なナビゲーションをできるかと言えば、クローラを広大なウェブに放ち、自動巡回させ、どこにどのような情報が存在しているかをデータベース化するからである。検索エンジンはインターネットそのものではないが、高層ビルの建築技術があっても、エレベータがなければ実際には高層ビルの運用ができないように、インターネットの発展に決定的な影響力を持つサービスである。

もちろん、検索エンジンにも多くの批判があった。検索エンジンはリスト化した情報から、検索語に最もマッチするウェブページを抽出して紹介するが、マッチングを演出しているのはあくまでも人が作ったアルゴリズムであり、結果が偏るリスクは常にあった。また、検索エンジンは初期の段階から広告と結びつき、広告費を支払っているサイトが検索のマッチングを度外視して表示されることもある。何らかの理由で検索エンジンにリストされないウェブページがあった場合、それがどんなに優れた情報を掲載していたとしても、ウェブの海の中に埋もれてしまい、存在しないことと同義になっ

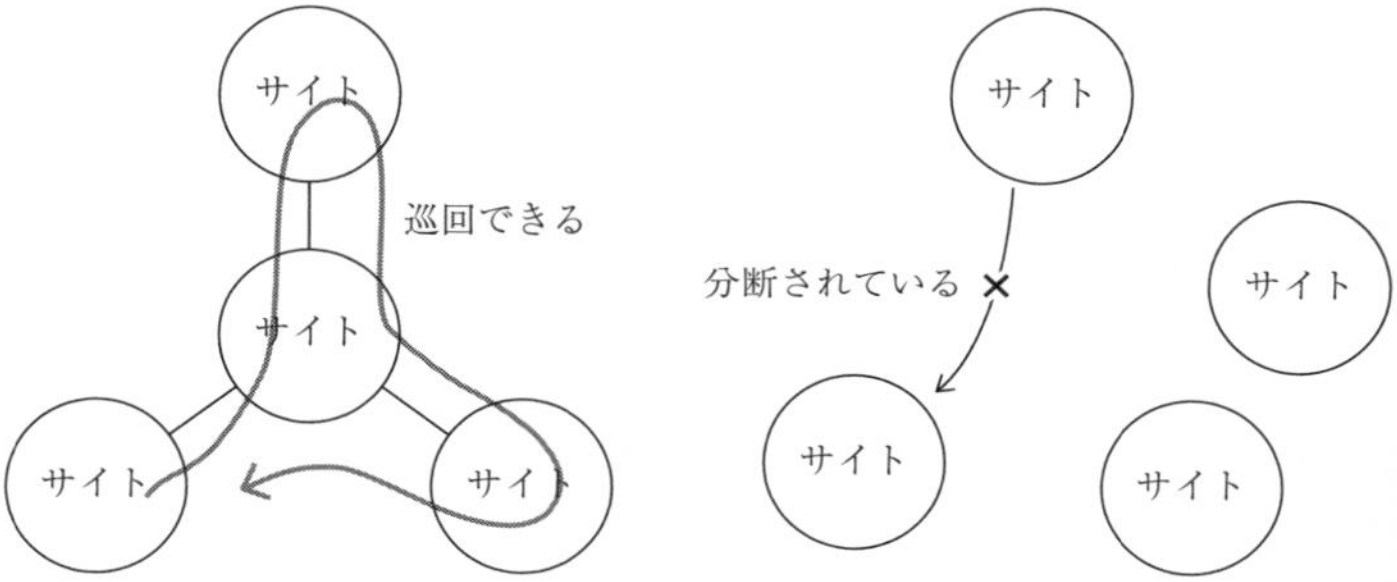

図2-6　インターネットの各要素は相互接続されるのが基本だったが、現代的なSNSやアプリはインターネット上に独自のオーバレイネットワークを作る
出典：筆者作成。

てしまう。

実際、インターネットのサービスイン初期には、誰もが発信できる環境が整うことで意見形成の多様化が進むといった楽観論が強かったが、あまりにも膨大な情報の生成と流通はむしろ意見の収斂を加速させた。利用者は検索結果の一ページ目、その中でも上位三件ほどしかまともに閲覧しないし、そこで目に触れなかった情報など、存在していないのと同じだからである。これが、検索エンジンに巨大な権力を集積する背景にもなった。その功罪は多くの人が指摘するところであるが、古代のアレクサンドリア図書館のように、とにかくグーグル先生に聞いてみれば、ウェブ上のすべての情報にアクセス経路が開かれているという安心感はあった。情報への到達可能性はまだ存在したのである。

しかし、SNSが隆盛してクローラが侵入できない場所の存在が常態化すると、インターネットは全員がすべての情報を共有できる（可能性がある）空間ではなくなった。あるSNSに入会して、SNS内のグループに承認してもらい、参加しなければならない。これをすべてのSNSのすべてのグループに対して行うことは不可能である（図2-6）。

SNSに閉じる情報

こうして、インターネット上にはたどり着けないページ、たどり着けない情報、見ることができないタイムラインが横溢することになる。これを検索によってたどり着けるページ群であるサーフェスウェブに対してディープウェブと呼ぶ。その中でも一般的なブラウザではアクセスすらできないものがダークウェブである。グーグルはトレンドサーチなどで、現時点で最も流行している言葉や概念を公表しているが、それが正しく実態を反映しているかは怪しくなりつつある。若年層のＬＩＮＥ利用率が九〇％を超える現在、本当にみんながやり取りしている情報、面白い情報はグーグルのクローラが侵入可能なウェブ上ではなく、ＳＮＳ上にしか存在しないかもしれないからだ。

こうした状況下では、情報の流通は公平であるとは言えない。多くのフォロワーが存在する人、多くのコミュニティに招待してもらえる人、言ってしまえばリアルな世界において豊かな人間関係を築いている人がより多くの情報にアクセスできる回路が開かれるのに対して、それらのリソースがプアな利用者は、情報へアクセスできる回路が閉じられることを意味する。

もちろん、そうした傾向は従来のインターネットにもあったし、そもそもインターネットに限らず、あらゆるコミュニケーションにおいて普遍的な現象である。しかし、実態としてそうであっても、可能性があることと、可能性すらないことの間には大きな隔たりがある。かつてインターネットは自由の象徴で、格差や不公平を埋めていくインフラだと考えられていた。いまでも、使い方さえ誤らなければ、そういう力を発揮することができるだろう。

しかし、いまやインターネットはまったく異なるベクトルを持ちつつあるように見える。格差を是正するのではなく、格差を固定し強化するツールとして機能しはじめているのだ。インターネットの構造を知悉して、「うまくやった」極少数の成功者が大きな存在感を持つ一方で、そうした存在に憧れたり、同じような行動をしているつもりの一般利用者が、インターネットに時間やリソースを搾取される構造が完成しつつある。これは専制君主による支配ではない。行政や企業による社会の分断でもない。自発的に、きわめて小さなコミュニティの中に自己を押し込み、所属するコミュニティによっては得られる情報と人間関係の広がりに大きな制限がかかる、そういう社会の形成と維持に、制限をかけられる側が積極的に協力しているのである。

第3章　ポストモダン

1　サブカルチャーに映し出された社会構造

社会と技術の関係

この章では、日本の社会で起きているさまざまな現象が、偶発的あるいは刹那的に生じているのではなく、社会構造の変化に起因して必然的に起こっているということを説明していく。ここでいう「社会構造の変化」は、もちろんインターネットの台頭を含む。インターネットは社会のインフラとなり、社会を構成する一要素となった。インターネットが加担して作られた構造が、私たちの生活にどう影響するのか、そういう時代に私たちはどう対応すべきなのか、何が現在の社会を理解するうえでのポイントなのかを考えていこう。

インターネットが社会を変えたとよく言われる。いまやインターネットは社会システムに深く根を下ろし、ある意味で社会と一体になっている。インフラとして社会に溶け込んだインターネットは社会と不可分である。

しかし、社会のほうが先に変わって、それに適応する技術が求められたり選ばれたりして技術開発が行われ、実装が進み、社会の変革を加速させることのほうが多い。高度になり、強大に育った技術が、社会へフィードバックを返し、それが社会の変容を加速、大規模化させることはある。しかし、単なる技術的進化や新規技術の開発が社会を変えるわけではない。

何も下地や種火がない場所に、インターネットがいきなり出現しても、利用者がテレビのほうがよいと考えれば、それでおしまいである。インターネットの例を見ても明らかなように、社会と技術は強固な関係、一種の共犯関係を結ぶが、社会の変容が技術に先立つ点は強調しておきたいポイントである。

インターネットが充分に普及して、社会のすみずみにまで行き渡るには、前提として、個人主義の確立や価値観の多様化が進んでいる必要がある。インターネットがこれらを強化することはあるが、インターネットがこれらを生み出すわけではない。

したがって、インターネットや、インターネット上で提供されるサービスやアプリケーションの意味を解釈し、理解を深めるには、インターネットの登場と普及を許した社会と、インターネットと社会とのかかわりについて、知っておく必要がある。

大きな物語

日本の戦後は「大きな物語」を軸とした社会が構成された。ここで言う大きな物語とは、たとえば伝統やイデオロギーといったものだ。みんながなんとなく意識し、信じ、依拠していて、その人の人生に影響を与える価値観がある程度一つにまとまっているのである。もちろん、この価値観はそれを備えた本人によい影響を与えることもあるし、悪い影響を与えることもある。従順に従うことも、反発することもあるだろう。しかし、意識しているという点において、皆に等しく影響を与えていることは間違いがない。大きな物語の影響力は、戦中から戦後にかけてピークに至り、その後はゆっくりと解体していった。しかしその名残は、今もそこここで見ることができる。

私は一九七〇年代に生まれ、一九八〇年代に思春期を過ごしたが、この時代の学校生活でも、他人の役に立つ人生を送らなければならない、よい会社に入って、一生勤め上げなければならない、男の子は男の子らしく積極的で快活であらねばならない、女の子は女の子らしく受容的で優しくあらねばならない、といった価値観が教員や家庭や地域社会によって幾重にも刷り込まれた。彼らにとっては、刷り込むという意識すら存在しなかったろう。それが当たり前で、善なることであり、みんなが疑いもなく信じており、次世代に規範として受け継ぐのは自然なことだったのである。もちろん、すべての児童・生徒がこの考え方に従っていたわけではない。

現時点で「先生」といえば教育サービス業の従事者であって、それ以上の意味はない。しかし、大きな物語の時代には、大きな物語を象徴する存在として社会の一翼を担っていた。その職務上、聖職者などと呼ばれることもあり、社会の価値規範を構築する側として、大きな存在感を持っていたのである。児童・生徒やその保護者は、教員の権威に従うのが一般的だったが、反発する生徒もいた。でも、それで大きな物語が機能不全を起こしたかと言えばそうではなく、むしろ逆であった。教員への反発は、大きな物語を認めているからこそ、生じたのである。社会の正義や価値規範を背負って立っている先生に刃向かうのは、格好が良かったり、少なくとも自分の勇気をアピールするのに好都合の場であったのだ。先生に刃向かって手を上げるような生徒は、実は大きな物語の強化に加担しており、学校という場の権威を高める共犯として機能していたと考えてよい。

いまの学校で、本気で先生に反発し、暴力事件などを起こす生徒が現れたとしたら、その子はとても純粋である。大きな物語が縮小し、力を失うのにしたがい、先生が身にまとっていた権威もまた失われてしまって、生徒にとってはきわめて身近で凡庸な存在になっている。先にも述べたように、先生は教育サービス業の末端の（ときには非正規の）従業員に過ぎず、生徒の価値観の中では小売店の販売員と等価である。コンビニエンスストアの従業員を土下座させた事件がネットのコミュニティで炎上したが、むしろ自分よりも立場が弱いかもしれない人を追い込んだとして、誰の賞賛も得られないのは当然のことである。

今後も学校の中で、暴力事件は起こるだろう。二〇世紀に多発した校内暴力と表面的には同じように見えるかもしれない。しかし、それは先生という権威に対する反発ではなく、自分の思い通りのサービスを提供しない従業員に対するクレームと等価の行動であると認識するべきである。

大きな物語の退潮

こうした社会構造の変化は、技術や文化に様々な影響を与える。大きな物語が機能している社会では、みんなが認識する（多くは信じ、少数者が反発する）価値観が存在するため、同じコンテンツを大量の受信者に配信できる技術が好かれ[1]、選ばれる。それは、テレビであり、ラジオであり、新聞であり、雑誌である。文化も社会構造の影響を受ける。特にサブカルチャーは影響を受けやすい。そこで取り上げられるテーマやシナリオラインは如実に社会変容を反映する。[2][3]

スクールカーストという身も蓋もない表現を考えてみよう。表面上糊塗された綺麗事やお為ごかしを引っぺがしてしまえば、いつの時代もカースト的な上下関係が地域や職場や学校にあり、また今後も存在し続けるだろう。

カーストの上位に位置する人はハイカルチャーやメインカルチャーを好み、カーストの下位に位置する人はサブカルチャーを好む傾向は根強い。そもそもマイノリティの文化・価値観・願望を抽出し、表現したものがサブカルチャーなのだからこれは当然のことである。どんな商品も消費者のニーズには敏感に反応してそれに適応する。そしてその商品が流行を生み、表層を真似した商品が再帰的に作られていく。この傾向はどんどん強化されていくのだ。

社会にひずみが生じるとき、それが最初に、かつ顕著に現れるのはその社会の下位層に位置づけられている人や文化においてである。サブカルチャーを観察することで、社会の変化を読み取れることがあるのは、そのためだ。もちろん、ハイカルチャーやメインカルチャーも社会の影響を受ける。しかし、そのカルチャー自体もそれを好む人も、社会で評価され、強い力と立場を持っているため、サブカルチャーほどに社会の変容が描き出されるわけではない。社会構造が変わっても、才能のある者、資金のある者、特権的地位にある者は、その豊富なリソースゆえに変化の波を受けるまでの猶予時間を取ることができ、かつその変化をいなし、時には変化を止めるように働きかけることができる。

しかし、弱者はそうではない。主体的に社会の変化を主導することができず、何らかの内的、外的リソースを行使して変化を緩和することもできないのであれば、自らの肉体と精神をもって変化の波を受け止めるしかないのだ。「自分を変える」は弱者へ向けて与えられるキーワードである。だからこそ、弱者は変化に敏感であり、その弱者が主に消費するサブカルチャーも、社会の変化に敏感である。

サブカルチャーに描かれる大きな物語

たとえば、大きな物語の時代の影響を受けている代表的なコンテンツとして、ウルトラマンをあげることができる。ウルトラマンは、違う星からやってきて、正義を執行する。そこには、何の屈託も迷いもない。これは、単純なコンテンツに見えて、実はいくつかの条件が重なっていないければ成立しない筋立てである。少なくとも、みんなが信じる正義なるものが、一つの像を結んでいなければ、一部の人だけしか楽しめないコンテンツになる。

ウルトラマンは、いまから振り返ると、やっかいなコンテンツである。主人公が対峙するのは、自分とは相容れない利害関係を持つ宇宙人や怪獣で、それを誅伐する正義の執行に何のためらいも持たずにすむ。たまに変化球が飛んできて、悪の側の活動が主として描かれるコンテンツが現れることがあっても、社会が要請するロールモデル＝善、社会が排除するロールモデル＝悪の構図は堅固に機能していた。マイノリティへの配慮や、ダイバシティの必要性をメッセージとして作品に織り込んでいる箇所はたくさんあるのだが、素直に鑑賞するならば、これは制作された時代の正義を満艦飾に肯定する作品に他ならない。

同種の作品としては、水戸黄門などを挙げることができるだろう。水戸黄門も弱い者の味方だ。最後には助けてくれる。しかし、黄門様が社会の枠組みを否定することはない。どんなに悪辣な代官がいても、統治機構が破綻していても、決して「幕藩体制が悪いから、倒幕しよう」とは言わない。単一の正義に基づき、その枠の中に人々を回帰させるよう、修正を施すのみである。正義すら定かではなく、「人を殺して何が悪いのですか?」と問いかけることさえ許容されるいまの考え方に慣れてしまうと、窮屈な世界観、倫理観である。

しかしこの窮屈さは、一方でそこで生活する人や、それを消費する人に安心を与えることにもなる。単一の価値観や、否定することもできず人に押しつけられた価値観は、それに自分を馴染ませることができれば、その後の人生を楽に生きるための有効な手段になる。これは、正義に反発する立場の人々にとっても同じである。正義に忌避感を示し、その正義に反対する人にとっても、「正義」という軸があることは生きるうえでの自分の立ち位置を明確にしやすい。端的に言って、居場所を作れるのである。「絶対的なものが存在し、それに反対する」のは、シンプルでわかりやすい居場所の確保の方法である。使いこなすための難易度が低いツールでもある。大きな物語が影響力を持っていた時代は、窮屈で息苦しくはあるが、安心感を得やすい、自分の居場所を見つけやすい社会であったとまとめることができる。

2　揺らぐ世界と物語

ひずむ正義とガンダム

大きな物語は、やがて解体を始めた。居場所や安心感を確保できるツールだったはずなのに、人はそんなに便利なものをどうして手放したのだろう？　大きな物語が崩れる理由はいくつもある。まず指摘することができるのが、個人主義の台頭、科学の進展、価値観の多様化だろう。

大きな物語が瓦解していった実例の一つとして、宗教がある。宗教は大きな物語そのものと言っていい。生きる意味を与え、単一の価値観を示し、社会に自分の居場所を作ってくれる。宗教が力を持ち、生活に浸透している社会では、その宗教に馴染み、信じることができれば人生を生き抜くことが楽になるだろう。一方で、信じることができない宗教への信仰を強制されるならば、きわめて不快で窮屈な経験をすることになる。しかし、先に述べたように、その窮屈ささえも、宗教に反発する自分という立場をもたらしてくれる。

わかりやすい立場を獲得している人には、資金や人材や共感が集まり、それによって自分の輪郭を明瞭にすることができる。不自由はするかもしれないが、居場所や生きる意味の喪失には悩まなくてすむ。

だが、この宗教の物語も、人々の支持を失う契機がやってくる。大きなきっかけは、科学の進展である。宗教は、まさに物語である。不分明で不安な世界と対峙するのは、人にとって恐怖である。知らないものは怖いのだ。そして、世界はわからないことだらけである。不条理な死や、無慈悲な災厄に意味を与え、それに対して何をすればよいのか道を示してくれる宗教は、世界を説明するシステムである。一方で、科学も世界を説明するシステムだ。どのように宇宙が開闢したのか、どうして津波が発生するのか、なぜ火山は噴火するのかを明らかにする。

最初のころ、世界をうまく説明できる度合いは、宗教のほうが優れていた。しかし、科学がその手法を洗練させ、破綻のない物語をつむぐと、優劣は逆転した。いま世界を説明させるならば、宗教よりも科学の方が、納得のいく物語を、破綻のない語り口で示してくれる。どちらと言われれば、科学の方が信じられると考える人が多いだろう。そして、宗教と科学は食い合わせが悪い。科学は人生の規範を定める方向には発展せず、個々の多様性を受容することの裏づけになっている。

科学と比較されたとき、大きな物語としての宗教は、脆さを露呈する。たとえば、洗礼を受けたキリスト者であっても、現時点で本当にイエスは死んで三日目に蘇ったのだと、無邪気に信じることができる人は少なくなっているだろう。そうならざるをえない。聖典にある秘蹟や奇跡の信憑性が揺らげば、宗教そのものへの信仰も揺らぐのは必然である。

戦後の大きな物語、具体的には価値観や人生観、職業観、ジェンダー観といったもの、は社会が変化するとともに、その形を変えていく。統一は崩れ、世界は偶然でできており、それを観測する者によってまちまちの諸相を見せることがわかった。わかってしまった以上、「一生懸命働けば、必ず報われる」といった物語を、私たちはもう盲目的に信じることはできない。

人口や環境、国際社会などのかかわりも、この傾向に拍車をかけた。いま大きな物語を信じ、額に汗して働いても、必ずしも賞賛を得て、大金を得られるわけではない。高度成長の終わり、バブルの崩壊、人口減が、大きな物語の瓦解と並行して同時期に起こったのは偶然だが、大きな物語から人心を離反させる作用を強くもたらした。

大きな物語を信じて実現できていた幸運な時代はよい。自分がいい目を見れば、物語を信じ、同時代の社会を受容する気にもなるだろう。しかし、高度成長期が終わり、どんなに頑張っても先人ほどには報われる時代でなくなれば、紡がれた物語が疑われはじめるのは自然なことである。ただし、歴史的な事実としては、すぐに大きな物語が廃れることはなかった。事態が動くときには、その状態を保とうとする力も必ず生じる。サブカルチャーのコンテンツでも、そうした傾向を見つけることができる。大きな物語が失われようとした時期に、まるでそれを惜しむかのように、大きな物語を体現するコンテンツが選ばれた。

ここでの代表的なコンテンツは、ガンダムだろう。ガンダムは階級闘争的な歴史絵巻である。もちろん、歴史絵巻的な作品など有史以来つねに生産され続けてきたが、この時期に特にクリエイターがこのテーマを選んで作品を作り、利用者も浴びるようにそれを消費した。なぜ、そのような現象が起きたのか。大げさな言い方をすれば、脆くなり、基盤が怪しくなった大きな物語を再強化する試みであり、それが叶わないことへの鎮魂であり、大きな物語の捏造でもある。

ガンダムの世界では、主人公の絶対の正義は危うくなっている。ガンダムの最初のテレビシリーズ（ファーストガンダム）のオープニング主題歌には「正義の怒りを、ぶつけろガンダム」という箇所があり、ウルトラマン時代の発想の名残を見て取ることができるが、富野由悠季監督の手によるガンダムのシナリオラインはそれほど単純ではない。

地球は人口増に悩み、資源は枯渇している。そこで、確立されたスペースコロニー（宇宙に浮かべる人工島で、人間の生活基盤となるもの）技術によって、重力均衡点であるラグランジュポイントにコロニー群を設置し、宇宙へ移植、移民をすることになった。

それ自体はふつうの発想で、何の葛藤もなさそうに見えるが、蓋を開けてみると宇宙へ移民した（させられた）のは、貧困者や被差別地域出身者などを含んだ一般の人々で、事前に全員宇宙へ移ると言われていた地球には、資産家や特権階級がいつまでも残り、住み続けている。

宇宙移民者が技術を磨き、小惑星等の資源開発も行い、生産力や技術力で地球に互し凌駕するようになっても、変わらず地球からの支配は続く。そうした状況下で、宇宙移民者の中からジオン・ズム・ダイクンというアジテーターが現れ、ジオン共和国という宇宙移民者の国家を建設し、地球側（地球連邦）と対峙することになる。これがガンダムの主要なプロットである。

ガンダムの主人公、アムロ・レイは地球連邦に所属する（ことになる）パイロットなので、一般的には視聴者が感情移入するのはアムロに対してなのだろうが、この背景を知っていると単純に悪の枢軸であるジオンを打倒して万歳、という気分で物語を楽しむわけにはいかなくなる。虐げられているのはジオンの側なのだから。

どうしても、戦争の意味を考えてしまうし、そもそも作中では敵であるはずのジオン側の描写も多いのだ。むしろ、ジオンに共感して物語に没入することになる人も多いだろう。アニメのシナリオにおける価値観の多様化の萌芽である。

ポストモダンとエヴァンゲリオン

個人主義が進み、受け入れられると、価値感は相対化する。自分の考え方を信じ、頼み、それに従って好きに生きていい社会は、自由ではあるが、不安な社会でもある。たとえば、他人に認めてもらうこと、承認してもらうことは、人生に大きな充実と安心をもたらす。しかし、みんなが違う価値観を持っている状況で承認してもらうことは、とても困難である。お金儲けが偉い、素晴らしいと一律に考えられているのであれば、長じてお金持ちになったり、少なくともお金を信奉していることを発信し、お金の獲得のために努力していることを示せば、多くの共感を得られるだろう。

しかし、価値観がほどけている社会では、全員に承認されることは難しい。お金を忌避する考え方の人もいるだろうし、無関心な人もいるだろう。もっと別の何かを信奉して生きている人がたくさんいるのである。すると、少数の共感は得られるだろうが、もっと多くの無視や嫌悪と直面することになる。多数からの承認は、よほどの自己プロデュース能力や、コミュニケーション能力を保有していなければ、獲得することができないと考えた方がよい。

これは自分の立脚点を覚束なくする。今まで奴隷だった人たちを、急に奴隷解放しても、どう生きていってていいのかわからず、途方に暮れてしまって喜べないのと同じである。むしろ、自由になりすぎて、自分が肥大し、人と人との間の距離は拡大し、寄りかかれる何かがなくなった社会の中で、自分を拘束してくれるものを探そうとする力が働いた。その現れ方の一つが、大きな物語の捏造だったと考えられる。

歴史や血統は、比較的安直に生産することができる、疑似的な大きな物語である。だが、捏造は捏造であって、社会全体の流れに抗うことは不可能である。いくら疑似的な歴史を生産して、消費し、自分の帰依するものや依拠するものを幻想の世界に作り上げても、個人主義の浸透や価値観の多様化は容赦なく進む。人々の、特に若年層の、人生の見通しの悪さ、不透明感は急速に高まっていった。その不安のピークに現れたコンテンツが、さらに時代が下った一九九五年に現れた新世紀エヴァンゲリオンである。

「新世紀エヴァンゲリオン」になると、敵と味方の弁別はほとんど不可能になる。主人公の碇シンジが所属しているのは、国連に直轄する特務機関NERVである。使徒と呼ばれる正体不明の来襲者を倒すのが目的の機関（と説明される）なのだが、協力関係にあるはずの国連とは腹の探り合いをしているし、人の生命を脅かす存在である使徒が次々に来襲するきっかけを作ったのはNERV（の前身機関）らしいと仄めかされる。物語の終盤では、視聴者が自己投影すべき組織であるNERVがまるでカルト団体のように描かれる。

そうした状況下で、碇シンジは正義のためでもなく（正義か悪かで世界をわかりやすく分割しようとすれば、どうもNERVは悪の側に片足を置いていそうなのだ）、仲間のためでもなく（後に述べるように、仲間の窮地を、助ける能力があるにもかかわらず、傍観したり、引きこもったりして、結果的に見捨てる描写がある）、ひたすら自分のために戦う理由を探し、煩悶し、しまいには戦うこと自体を放棄する。戦う理由すら設定してもらえないその姿は、いまの社会を生きる人々と高い共時性を持っている。

エヴァンゲリオンにおいては、仲間との紐帯もバラバラだ。同僚のパイロットは、ある者は大切な人との絆のために戦っているし、ある者は自らのアイデンティティを確立・維持するために戦っている。個人主義と多様性は、作品の隅々にまで浸透していて、それゆえシンジは、同僚の少女が陵辱されるように使徒に貪り尽くされる局面でも、自我を守ることを優先して出撃しない。「男なら女の子を守らなくちゃ」といったマッチョイズムとは無縁だし（同じヘタレ属性にグルーピングされると考えられているガンダムのアムロ・レイは、自分が男であることに自覚的だった）、むしろ同年代の少女に守ってもらうことに躊躇がない。

私たちは、少なくとも一九七〇年代以降に生を受けた者は、程度の違いこそあれどこかのタイミングで多様な価値観を持つことをよしとする教育を受けた経験を持つ。したがって、こうした一連の流れや、現代の私たちが置かれている状況に対して、ある程度好意的に捉えていたり、受容していることが多いと思う。私自身、大きな物語の時代のように、男の子はカリカリ頭にしていなければならない、結婚して子供を持つのが当たり前で、町内会の活動に参加しないとコミュニティの中で村八分になる、といった社会には相当違和感があるし、嫌だ。

だが、大きな物語を旧弊的な社会システムで悪であり、個人主義が確立された社会は生きやすいと単純に捉えることもまた難しい。自明のことだが、自由とは責任と孤独がセットでついてくるもので、村社会的なねっとりとした紐帯には束縛の安心感と思考を放棄できる気楽さがある。たとえば、奴隷解放が行われるとき、解放したはずの奴隷が解放者に抗議したり、もとの主人のところに戻る事例は歴史上、珍しくない。これなどは、自由がいかに孤独で責任と能力を要求されるか、不自由や束縛は、それ自体を嫌いつつも、安心感や思考停止の気楽さをもたらしてくれるものであるかを示す証左だろう。

いつ結婚するのか際限なくお見合いおばさんに聞かれたり、好きでもない人と結婚させられたりするのは嫌なものだろうと想像する。一方で、これだけ婚活市場に資金と時間が投じられ、結婚の希望を持ちつつもなかなかそれが叶えられず苦吟している人たちを見ると、そもそも自由恋愛とはそういう苦しいものなのではないか、人に強制されて、夫婦という機能に就職する、くらいの気持ちでいた方が楽だったのではないかとさえ思える。

小泉政権あたりを潮目にいつからか日本にも自己責任という言葉が定着した。自由を謳歌すれば責任が伴うのは必然ではある。大家族という束縛のプロトコルが嫌なのであれば、一人暮らしの自由を享受するのがよいだろう。しかし、それは孤独死とセットであるかもしれない。

自由と不自由のパラドクス

それが理解できていて、自分で選択して自由を謳歌している人は問題ないのだ。世の中の趨勢は権力や資金力、発言力を持った人たちが決めていく。そういう選良は、責任を引き受けることができる教育も覚悟もあるのかもしれない。自由と責任を比較考量したとき、自由の側によりメリットがあることも疑いがない。それが才能であれ資金であれ、多くのリソースを手にしたものは自由を好む。

しかし、私も含めて多くの人々は、そんなに潤沢な資金や才能に恵まれているわけではない。自由にしていいと言われても、途方に暮れてしまって、結局は自由を謳歌できないことが多いだろう。謳歌しようと頑張ってみても、自由を十分に享受するために必要な才能や経験、資金は手元に見当たらない。

でも、社会構造が自由と責任を基調としたものに書き換えられると、あまり自由を楽しむことができない人たちにとっても、責任はついて回る。それは、子供を作りたくなければ作らなくていいけど、おひとり様の老後を受け入れろとか、好きな相手と好きなタイミングで結婚すればいいけれど、相手探しや人生設計の諸々はご自分でどうぞ、といった形で卑近な部分でも可視化される。

現在の社会はそうした奇妙な「自由という不自由さ」に覆われていると言える。先に取り上げた「新世紀エヴァンゲリオン」に象徴的なセリフがある。主人公であるシンジの父（NERVの長）碇ゲンドウがシンジに告げるのだ。「不自由をやろう」と。

「不自由をやろう」は、字面だけを捉えるとひどいセリフだ。これは一般的に、父権的傲慢の発露や、煮え切らない態度を取るシンジを支配下に置き、「エヴァ」のパイロットとして機能させようとするものだと解釈される。

しかし、ここまでの議論で明らかなように、不自由さ、すなわち大きな物語が機能する社会では、その対価として安心や人生の見通しのよさ、わかりやすさが担保される。個人主義と多様化が行き着いた社会、不安が前提としてビルトインされている時代に、「不自由をやろう」は、急速に獲得した（させられてしまった）自由に対応できず、溺れるように生きている息子に対して父が贈る言葉としては、慈愛に満ちているとも読み取れる。

エヴァンゲリオンが社会現象になった一九九五～一九九六年は、阪神・淡路大震災に地下鉄サリン事件も重なり、社会の不安感、不透明感が極大化した時期である。生きるのが不安なのはすでに前提だった。一九九三年には鶴見済の『完全自殺マニュアル』が一〇〇万部を売り上げ、続編として位置づけられる『人格改造マニュアル』（主に薬を利用することによって、楽に生きていくためのマニュアル。心療内科でどのような受け答えをすれば、どの薬が処方されるかなどのテクニックを含んでいる）が一九九六年に刊行され、これもベストセラーとなった。こうした状況で、エヴァのシンジに見るように、引きこもりを肯定したコンテンツをサブカルチャーは大量に生産し、利用者もこれを貪るように消費していった。

この時期のコンテンツの特徴は、主人公や、利用者が感情移入するであろうキャラクタの成長のなさである。いま挙げた碇シンジが典型例だ。同じように、引きこもり的なキャラクタとして位置づけられるガンダムのアムロ・レイと比較すると、その様子が際立つ。

アムロ・レイは機械いじりに耽溺する少年で、お隣に住む少女フラウ・ボウに世話を焼かれないと最低限の食事や着替えすら満足にこなせないほど偏った生活をしている。直情径行が見られ、短絡的な思考、行動も多く、何よりもコミュニケーションが不得手だ。他人によく誤解されるし、他人への理解も乏しい。しかし彼は、宇宙世紀に冠絶する総力戦である「一年戦争」において、確かな自己実現を成し遂げている。サイド7、地球軌道、ニューヨーク、オデッサ、ベルファスト、ジャブロー、ソロモンを歴戦し、連邦とジオン公国の最終決戦である星一号作戦では、名実ともに全軍のエースと言ってよい立場に上り詰めている。

児童、生徒向けアニメにおいてよく見られる類型である「男の子が武器を手にする」「女の子が魔法を行使する」は、本当であれば長い時間と修練を積んだ果てに到達する「大人」や「熟達者」への跳躍に他ならない。特定の状況下、限られた時間だけ、主人公（それに感情移入する利用者）は、大人への階段を一足飛びに駆け上がり、巨大な力を行使する愉悦と責任の重さに震えることができる。そうして大人の世界を垣間見せ、早く大人になりたい、よりよい大人になりたいと思わせる機能がジュブナイルには確かにあった。

アムロは、出発点は引きこもりでも、戦局が進むにつれて栄達し、エースになった。その後に作られた物語でのスポイルはともかくとして、十分に少年たちのロールモデルになりうる主人公である。

承認の希求と失敗

大きな物語が機能しているか、その影響が残存している状況では、少年少女は何かを成し遂げて自己実現をする。サブカルチャーの作品も、それを前提にシナリオを組んでいる。しかし、時代が下ると、日本は若年層が自己実現をするのがとても難しい世の中になった。経済は停滞し、行政は行き詰まり、いくら個人が努力しても必ずしも報われない構造ができあがった。むしろ、報われないのが平常状態だと言える。

万難を排して高い地位や収入を得たからといって、幸せを得られるとは限らない。お金を持つことの幸せは、お金の効用そのものもさることながら、人に認められたり、うらやましがられたりすることで得られる自己充足や、しっかりとした自分の居場所を確保できたと認識できる安心感によるところが大きいと考えられる。しかし、現代の社会はお金があるからといって、尊敬されたり、重んじてもらえるほどシンプルではない。価値観の多様化が進み、何をもって人を尊敬すべきか、重用すべきかといった尺度が分散したからである。

一九九〇年代から二〇〇〇年代にかけて、人が信じるよりどころは本当にほどけた。高級品やブランドものを見せびらかすよう所有していたら、かえって馬鹿にされることもあるだろう。化石燃料を大量に消費する大型車を乗り回すと、むしろ自分の立場が危うくなるかもしれない。ステータスシンボルとしての車の価値は萎縮し、特に若年層への販売が伸び悩んでいる。それに車を運転していたら、スマホが使えない。

高額納税者公示制度で、自分の名前が新聞に掲載されることを素直に喜ぶようなことはなくなった（制度自体も廃止された）。情報技術の進展と社会環境の変化により誰も新聞を読まないし、読んだ人からの賞賛は得られないし、名前が載ったことで特殊詐欺の電話が増えるかもしれない。リスク管理の側面からは、なんの得もないのである。お金持ちではなく、ボランティアをしている人がもてはやされるのかもしれないし、3Rを励行している意識の高い人が偉いのかもしれない。それすら流動的で、明日の朝には手のひらが返されているかもしれず、そもそも偉いという指標で人を測ることが善なのか悪なのかすらはっきりしなくなった。

二〇〇〇年代に入ってからの作品である「コードギアス 反逆のルルーシュ」では、そもそも正義そのものの不可能性が描写されるに至った。

反逆のルルーシュは、実世界をベースに近未来を描いた架空歴史絵巻だが、ブリタニアを称する覇権国家が存在し、世界各地に征服の手を伸ばしつつある。日本もすでに占領されており、イレブン（一一番目の植民地の意）という蔑称が与えられている。各地にはゲリラやパルチザンが存在し、ブリタニアに対して抵抗を続けているが、対等な戦闘ができるような国家や組織は見当たらない。

主人公のルルーシュは、イレブンに存在するゲリラの首魁として物語に配置されるのだが、彼の行動はよくてテロリストのそれである。一般的に、帝国主義的な覇権国家に対抗するパルチザンであれば、好意的な描き方をするものだと思われるが、それが選択できないほどに視聴者を取り巻く正義や価値観の状況は分断されている。

ルルーシュはブリタニア皇帝の落とし胤として設定されており、彼の決起は得られたかもしれない権力を回復すること、それによって自身と妹（視覚障害者として設定されている）の安寧の地を得ることだけを目的としている。ブリタニアに抑圧される民衆の解放などは間違っても考えていない。自分と妹のことだけを考えた利己行動が彼の選択のすべてである。そして、ルルーシュ自身も、それに自覚的だ。彼は自らの正義のために戦っているが、その正義が自分とせいぜい妹にとっての正義でしかないことをきちんと理解している。そのうえで戦っているのだ。

この描写のされ方は、私たちを取り巻く現代の状況と強い相似を描く。誰からもロールモデルを与えてもらえず（君の人生は、君が決めていいんだよ）、依拠すべき価値観も示されず（君は君らしくあればいいんだ）、それでいて自己責任は追及される社会で（何をするのも自由だけど、結果は引き受けてもらうよ）、どう生きるかは、特に明確な主張や度量、才能などの資源を持たない人々にとっては、過酷な選択だ。

ガンダムの時代は、成長でそれを解決することができた。アムロは決して社交的な人間ではないが、才能があり、戦場で敵を倒すというゴールが設定され、それを達成することで自分の居場所を自ら作ることができた。引きこもりのようでいて、典型的な成長譚なのである。エヴァンゲリオンの時代は、すでにロールモデルを失っていた。正義が何かは不明で、下手に行動を起こすと「お前は悪だ」と後ろ指を指される可能性があった。しかし、シンジはその状況にまだ引きこもりという手段で対抗することができたのだ。何もせず、何も成さない。まさにシンジは何も達成しない主人公だった。でもそれによってこそ、最終的な破局を回避できたのかもしれない。

コミュニケーションコストの増大

明確に言えるようになったのは、価値観の多様化が進んだ社会では、コミュニケーションのコストがとても大きくなったということだ。誤植ではない。大きくなったのだ。

一般的な理解としては、一九九〇年代以降はインターネットの商用利用が解禁され、その低廉化と高速化、コンテンツの充実により普及が進み、コミュニケーションコストが小さくなった時期である。通信費、通信端末費を読み取るならば、もちろんそうである。しかし、コミュニケーションのコストはそれだけでは計れない。誰かと意思疎通をすることの簡単さ／難しさや、そこで気を遣わなければならない度合いや、配慮の総量もコミュニケーションのコストである。

同質化社会ではコミュニケーションのコストは小さい。社会、コミュニティを構成する人の生活水準、信条、嗜好に差がなければ、おしゃべりをしていて地雷を踏む確率は小さい。極論、よく会う人であれば今朝の食事と天気の話を、しばらくぶりの人であれば結婚と子どもの話でもしておけばいいのである。

だが体感格差が大きくなり、価値観が多様化した社会では、すべての話題が地雷源になる。朝食に何を食べたかで知りたくもないお互いの所得水準が交換されてしまう。そもそも朝食を食べないことに誇りを持っている思想信条の人もいるかもしれない。所得が高くても低くても、その数値に隔たりがあれば、気まずい思いをすることになるだろう。PTAのお父さんの集まりが格安店で行われるようになったと報道された。いまは身なりや年齢で互いの所得を推測しにくく、しかし確実に格差は存在するため、所得水準の低い人に不測の負担をかけないための配慮である。

結婚、出産の話はいわずもがなである。結婚する人、した人、しない人、できない人、子どものいない人、いる人、欲しい人、欲しくない人がモザイク状に入り乱れるなかで、穏やかに会話を終えることは、P≠NP予想の解決と同じくらい難しい。自由だからこその閉塞感である。

現代はすべてを試しきれないほど多くの、使いやすい、廉価なコミュニケーションツールがあるにもかかわらず、コミュニケーションコストは高止まりしている。企業が就職に際して、学生にコミュニケーション能力を求めるのも致し方ない。細分化された社会で、どのクラスタに顔を出しても上手くやっていくのは至難の業だが、それをうまく実行できなければ業務を回せない。計算能力や分析能力を情報機器へ外部化できる度合いが大きくなるにつれ、人に求められる能力はコミュニケーションという可視化も数値化も困難な能力に偏重している。

現代の学生が昔の学生に比べてコミュニケーション能力が劣っているわけではない。もちろん、少子高齢化や地域コミュニティの機能不全により、コミュニケーションを練習する機会は減少しているが、致命的なコミュニケーション能力の低下があるわけではないのだ。むしろ、現状において求められるコミュニケーション能力のハードルが高すぎ、さらには昔とコミュニケーションの質が異なるのである。

わたしたちは、こうした現実にどう対応すればよいのだろう。

スクールカーストの上位者のように高いコミュニケーション能力を持った人であれば、これほど困難な状況に置かれても、持ち前の能力を発揮して思い通りに社会生活を営めるのかもしれない。実際に、学校も企業もそうなることを目標に、授業のカリキュラムを組み直し、アクティブラーニングなどの教育手法を導入した。

しかし、コミュニケーションは相手があってはじめて成立する行為であるため、いくら努力してコミュニケーション能力を磨いても、コミュニケーションが円滑に終えられるとは限らない。言葉を換えれば、安定して発揮するのが難しい能力なのである。そして、わたしたちの多くは、コミュニケーションが大得意なわけでも、大好きなわけでもない。そこに無理とひずみが生じる。

規定されてしまったこのシチュエーションに対して、効果的な処方箋がある。コミュニケーションを絶つこと、すなわち、引きこもりである。引きこもりは戦後から現在まで脈々と続く個人主義の進展と価値観の多様化、すなわちポストモダン状況に対応するための、ある時点においては最善に近い適応行動だった。そんなにコミュニケーションコストが増大したのであれば、コミュニケーションをしないメリットが、するメリットを上回るようになる。その状況に至れば、合理的な選択としての引きこもりまでは、半歩の距離だ。

でも、そこにふりかかってきたのが、自己責任の追及だった。全部自己責任ですよ、と言われてしまうと、引きこもりはデメリットのほうが大きくなる。それが我慢できる水準を超えたときには、社会に復帰する必要や、誰かの手助けを求めたりする必要が生じることだろう。すべての行動が自由な選択の結果であり、それによって生じたどのような事態も自己責任であると断じられてしまうと、引きこもりのリスクが極大化してしまうのだ。

引きこもりの持続困難と小さな正義

コミュニケーションコストが高騰し、コミュニケーションは困難であるか、まったく価値観の異なる相手であれば不可能な場合もある。それに対抗する手段として、自分も相手も傷つけないために引きこもりを選択したとしても、それによって生じる不利益がすべて自己責任として処理され、リスクが肥大化してしまうならば、やはり社会と関わって生きていくしかない。

でも、コミュニケーションがもはや不可能なまでに困難になっている状況下では、他者を慮って円滑円満な生活を送ることは諦めなければならない。自分で行動指針を決め、正義を主張し生きていくわけだ。ここで言う正義は、大きな物語下で受け入れられていたような、成員のすべてが依拠する正義ではなく、自分かせいぜい自分の直近の極小のトライブだけが信じる正義である。

「反逆のルルーシュ」は、コミュニケーションが困難な状況における、その正義の有り様を綺麗に描写している。ルルーシュは正義の執行者だが、宇宙戦艦ヤマトの古代進のように、地球で生活する人であれば誰もが共感できるような正義ではなく、自分と妹のためだけの狭い正義を、それと知ったうえで、誰にも支持されないと理解したうえで執行している。

SNSで(4)炎上事件が多発した時期があった。コンビニのアイスケースに入ったり、蕎麦屋の洗浄機に寝転がったりしたあれだ。ああした事象が起きてしまう背景は、もちろん情報技術やＳＮＳに対する理解の浅さが根底にあるが、先に述べたようなメカニズムが働いていることも記憶しておく必要があるだろう。つまり、アイスケースに入って写真を撮るのは、ある人々にとっては不正義だが、それを実行した当人と彼ら彼女らが所属するトライブにとっては「快」や「面白さ」を提供する正義である。そして、彼らはそれが批判されるであろうこと、自分の正義が他者にとっては必ずしも正義ではないことを理解したうえで実行していると考えられるのだ。

彼ら彼女らがその結果として巻き起こった批判や不利益について十分に自覚的であったり、責任を取る覚悟があったとは思わない。彼らの行為は、「快」や「面白さ」を基準に据えれば正義だが、「衛生」や「法令遵守」を基準に据えれば悪だ。そして、「衛生」や「法令遵守」を軸に自分の価値観を構成している人たちがいて、その人たちにとっては彼らの行動を指弾して炎上させるのが正義となる。これは、小さな正義同士のぶつかり合いである。アイスケースに寝そべったりすることを公開してしまうような行為には、根底に状況認識の甘さや思慮の浅さがあったはずだが、まったく幼稚な感性だけでああした行動を取ったと考えるのも無理がある。

自己決定をしなければならない、それを主張しなければならないと促す構造が、社会に形成されていると考える方が自然だ。そして、その社会形成に手を貸す、普遍化した技術はここでもインターネットだ。

3　ポストモダンと世界観

センター試験に登場したポストモダン

ポストモダンについて、ここで説明を加えておこう。戦後の社会変容の潮流が集団から個人へ、一律（大きな物語）から多様化（ポストモダン）へという枠組みであったことは論をまたない。大きな物語やポストモダンは、二〇世紀後半に巷間に膾炙し多くの論客が登場した。良書も数多く出版されている。そうしたある意味でのブームが去り、一時期よりこれらの用語を目にする機会が減ったが、それは大きな物語やポストモダンの議論が無効化されたのではなく、むしろ言説によって予言されていた社会が到来し一般化することで日常になったと捉えるのが正しいのだと思う。

二〇一六年一月に行われたセンター試験では、国語で「大きな物語」に関する出題がなされていて、試験監督をしていた私は少なからず驚いた。このとき試験で取り上げられたモチーフは、リカちゃん人形だった。

かつてのリカちゃんは、子どもたちにとって憧れの生活スタイルを演じてくれるイメージ・キャラクターでした。彼女の父親や母親の職業、兄弟姉妹の有無など、その家庭環境についても発売元のタカラトミーが情報を提供し、設定されたその物語の枠組のなかで、子どもたちは「ごっこ遊び」を楽しんだものでした。

しかし、平成に入ってからのリカちゃんは、その物語の枠組から徐々に解放され、現在はミニーマウスやポストペットなどの別キャラクターを演じるようにもなっています。自身がキャラクターであるはずのリカちゃんが、まったく別のキャラクターになりきるのです。これは、評論家の伊藤剛さんによる整理にしたがうなら、特定の物語を背負ったキャラクターから、その略語としての意味から脱却して、どんな物語にも転用可能なプロトタイプを示す言葉となったキャラへと、リカちゃんの捉えられ方が変容していることを示しています。

（平成二八年度　大学入試センター試験「国語」より。この文章の出典は、土井隆義『キャラ化する／されるる子どもたち』岩波書店、二〇〇九年）

大きな物語が機能していた時代のリカちゃんには、確固たる物語があり、フランス人のパパや、ファッションデザイナーのママに恵まれた上流家庭の子女であることが大前提だった。物語を破壊してしまうような行為、たとえばリカちゃんが別の属性を持つキャラクタとして読み替えられたり、別の物語を持つキャラクターとコラボするようなことは禁則事項であった。

でも、二十一世紀のリカちゃんは、マイルドヤンキーにも屋台のおじさんにも扮する。「上流って何だ？」「フランス人のパパがいることがそんなにいいことなのか？」といった価値観の変節や多様化を抜きにして、この変化を説明することはできない。こうしたメカニズムを知っておくことが、これから社会に出て行く生徒・学生にとって有用なのだと試験センターが判断したのだと考えられる。

ここ数十年の社会変容に通奏低音としてポストモダン化が寄与していること、そこに寄り添うように共犯としてのインターネットが存在感を示していることについて、私たちも考えていこう。ここで、議論を整理するために、表を示しておく（表3-1）。大きな物語が息づいている社会、ポストモダン化が進んだ社会の特徴をまとめたものである。

表3-1　大きな物語とポストモダンの比較

	大きな物語	ポストモダン
価値観	一　律	多　様
社会的紐帯	強　固	緩く細い
生活態様	不自由	（見かけ上）自由
ロールモデル	あ　り	成立が困難

出典：筆者作成。

大きな物語が機能している社会では、同じ「物語」を皆が共有しているので、価値観が一律であることは納得できると思う。そこに個人主義の台頭や、多様な文化、規範などを受け入れようとする考え方が示されると「今まで信じてきた物語以外の、他の物語にも一理ある」と考える者が増え、価値観の多様化が進む。

「ふつう」の喪失

近年では、これが経済活動にも取り込まれ、多様な価値観を持つ者が集い切磋琢磨することによって、高い付加価値を生み出せるとする「ダイバシティ」の考え方も台頭した。いままで忌避されたり、逆に特別扱いされたりすることで社会から切り離されていた障害者や社会的弱者なども、社会の中で隔たりなく生きられるようにしようとする「ソーシャルインクルージョン」も自然なことと捉えられはじめている。

私自身の子供が障害を持つので、この変化は切実に実感するところだ。ソーシャルインクルージョン以前にあった障害者対応の考え方である「ノーマライゼーション」が、「障害者等をできるだけ健常者（ノーマル）に近づけよう」とするものであったのに対して、ソーシャルインクルージョンは、「ありのままの障害者や高齢者、社会的弱者を受け入れよう」とする点で現代的である。

たとえば、ノーマライゼーションの最たるものは、ロボトミーだろう。悪名高い、前頭葉切除である。大人しく、現実を直視し、協調できる人を「ノーマル」として、そのように振る舞うのが難しい、統合失調症の人などをできるだけ「ノーマル」に近づけるための手術だ。もちろん、手術は患者に絶大な影響を与えた。気力や意欲、感情反応が低下する。それは、患者が従順になったようにも見えるため、「ノーマル」な学校や職場に参加できると考えられたのだ。いまでは残酷の代名詞のように言われるロボトミーだが、私はこの術式を行った医師たちに悪意があったとは思わない。彼らなりに、集中できず、興奮しやすく、幻想に浸り、時には暴力をふるう患者をなるべく「ノーマル」にしてあげようという善意があったことと思う。

しかし一方で、それは患者の個性をまったく認めない方法でもあった。人前で感情を出さず、大人しく知的に振る舞うことにのみ価値をおいた、大きな物語的な価値観の発露だったともいえる。

これに対して、価値観の多様化が進んだ世の中では、そもそも「ノーマル」が怪しいという議論になる。一人一人の個性があるだけで、その範囲の中に収まらなければならないノーマルなど本当にあるのか、あるとして何故その枠に含まれることに価値を見いだす必要があるのかが問われはじめている。すると、「じっとしていられない私」が悪いのではなく、「じっとしていられない私」の居場所がなかったり、活躍する機会がない社会に問題があるのでは？　と話が進む。

障害であること、高齢であること、人とは違った機能を持つことに価値を見いだす考え方だ。もちろん、あまりこの考え方を先鋭化させすぎると、なんでも社会が悪いと言えることになってしまうが、人と違ってもいい、失敗してもいいと言える社会は、やはりそれを許さない社会よりも少し居心地がよいのだろう。こうした価値観の変容は、社会の至る所で発露し、私たちはそれを観察することができる。ここまでにあげてきたアニメ作品はその一例である。

サブカルチャーという副反応

もちろん、ポストモダン社会への対応方法としての引きこもりは、副反応も大きい。リスクへの対処方法は大きく、リスク回避、リスク保有、リスク移転、リスク最適化の四つに分類することができる。引きこもりはこのうち、リスク回避に分類されるやり方で、会社を潰すのが嫌だから、潰れる前に会社をたたんでしまおうといった行動である。効果は大きいが、そこから得られる利得もあきらめることになる。人と人との関係は、コミュニケーションによって成立している。広範囲、長期間に渡って引きこもれば、人生そのものがリスクに晒されるだろう。だが、短期的にはおそらく最適解だったのだ。コミュニケーションのコストが極大化しているなら、それを絶ってしまえば目先の生活はとてつもなく楽になる。

だが、ここで生計を立てる方法だとか、衣食を整える方法だとかを別にしても、一つ大きな問題がある。どんな環境を選ぶにしろ、人には生きていくための理由が必要で、承認欲求がその中でも大きな部分を占める。何かを達成することによる自己実現、自己満足も難しく（そもそも成功がしにくい、成功の定義も明らかでない)、そのうえ、他者とのコミュニケーションも絶つとなると、誰かに承認してもらえる見込みは限りなくゼロに近づく。そこで、擬似的な承認を与えてくれるメカニズムに手を出すことになる。

需要があるところには、必ず供給がなされる。サブカルチャー業界の反応は迅速だった。引きこもり状況にあり、擬似的な承認を欲している人は、メインカルチャーを担うスクールカースト上位層ではなく、スクールカースト下位層にいる。

その人たちをターゲットとし、社会からこぼれそうな層をすくい取るコンテンツがサブカルチャーから出てきたのは必然である。アニメ、ゲーム、ライトノベル、コミックは、そもそもこの層を主要な顧客としてきたのだ。だから、引きこもりを承認するコンテンツを大量に生産した。その頂点にそびえるのがエヴァンゲリオンだと考えてよい。

シンジは汎用人型決戦兵器という巨大な力を手にしている。その兵器を自由に操れるのは、全体から見れば極少の人員に限られ、エリート中のエリートである。そして、その地位は常に更新される成績によって脅かされるような一過性の(エフェメラルな)ものではなく、彼が持つ資質に立脚している。資質なら、その地位が脅かされることはまずない。血筋でも、生得的な能力、特技でも、世界から受け継がれた力でも、それが与えられたのがごく少数で、消費したり剥奪されたりすることのない力なのであれば、それは彼/彼女らに奪われることのない巨大な特権を与える。

それがかなえば、「明日も自分の居場所を確保できるだろうか」などといった矮小な悩みからは、永遠に解放される。だからこそ、アニメもゲームもライトノベルも、神に承認されたがごとき力を主人公に与え、安定と安心を利用者に消費させてきた。そういう荒唐無稽を現世の物語に落とし込むことが困難なのであれば、主人公を異世界へ放り込んでもいい。いわゆる異世界転生ものの作品数の増加率と絶対数は尋常ではない数値を示している。

しかしシンジはこうした特権的な地位を与えられているのに、その力を自らをとりまく環境の改善や、自分に近しい人間を救うために行使しようとはしない。特にシナリオの終盤では、常に戦闘を回避し、都合よく自分を承認してくれ、あまつさえ代わりに戦ってくれる少女を希求している。

同じ引きこもりを出発点にしていても、ガンダムのアムロとはまったく異なった処理をされていることがわかる。そして、物語（完結しているTVシリーズ。劇場版は継続中）はシンジを肯定することで終わるのだ。もちろん、庵野秀明は優れたクリエイターであり、優れたクリエイターは自己の作品に批評を入れたがる。エヴァンゲリオンも、TVシリーズを再編集した劇場版や、後年の新劇場版ではシンジに対するこの処理を留保している。引きこもるな、というメッセージも読み取ることができる。しかし、多くの利用者がエヴァンゲリオンのTVシリーズから引きこもり肯定のシグナルを受け取ったことは確かだ。人気コンテンツの常で、エヴァンゲリオンも多くの模倣作品群を生み出したが、これらの作品では引きこもり肯定がさらに強化されているものも少なくなかった。

本来そのコンテンツが持つ主題を逸脱して、執拗な食事の描写に拘ったり、主題と関係のない会話が延々と続くコンテンツが有意に増大した。家族やコミュニティ、コミュニケーションの欠損を補うシーンが大量に消費されたのである。

リア充という言葉が使われはじめたのも、この頃だ。近年では聞くことは少なくなったが、「リアルが充実している人」を意味する用語である。妄想が充実してリアルが疲弊するオタクの対義語だ。誤解されがちなことだが、リア充はそれを羨んだ言葉ではない。むしろ、上から目線でオタクから発せられるものだと理解しておくべきである。つまり、コミュニケーションコストの高騰にもかかわらず、脳天気にコミュニケーションを試み、無駄に波風を立て、労力を浪費する行為全般を揶揄して、「リア充」なのである。現実依存症と言い換えてもいい。

リア充はいまだに成長や自己実現、円滑なコミュニケーションを信じている。それは、能力が高いからではなく、単に自分を取り巻く環境がよく見えていないからである。それに引き換え、自分が置かれた状況と境界条件を正確に読み、成長と自己実現を諦め、コミュケーションを絶った自分はリア充より余程世界が理解できているし、自分の分限をわきまえている。そうした諦観と自尊が「リア充」と言わしめるのだ。

更新されたアーキテクチャ

社会の構造が変われば、技術もそれにつれて変わる。大きな物語（図3-1）が支配的な影響力を持つ社会では、一対多の情報伝達に優れた情報通信技術が選ばれ、使われる。テレビ、ラジオ、新聞、雑誌である。規範となる価値観が一つであれば、それに沿ったコンテンツを作り、同時に、大量に配信するのが営業上も理に適っているし、利用者もそれを望んでいる。画一的な情報の配信に適応し、望んでいる利用者はこれを喜んで消費する。また、配信される画一情報に反発している人も、反発の根拠を確立するために、同じコンテンツを消費する。

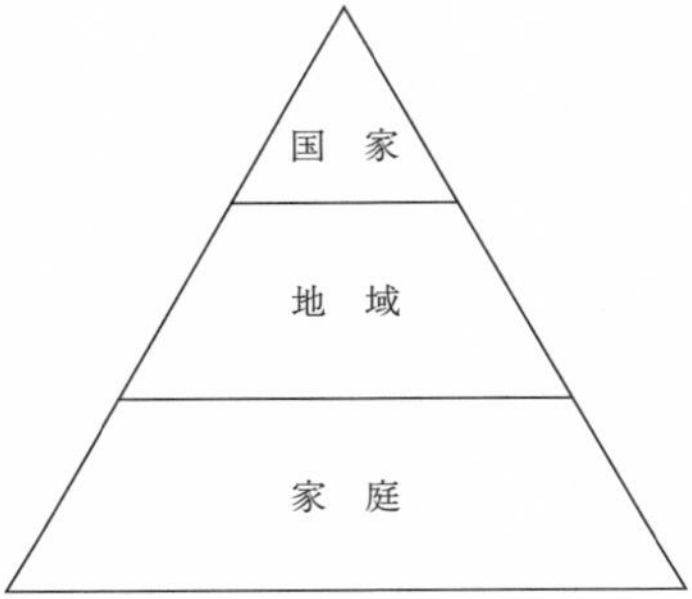

図3－1　大きな物語

出典：筆者作成。

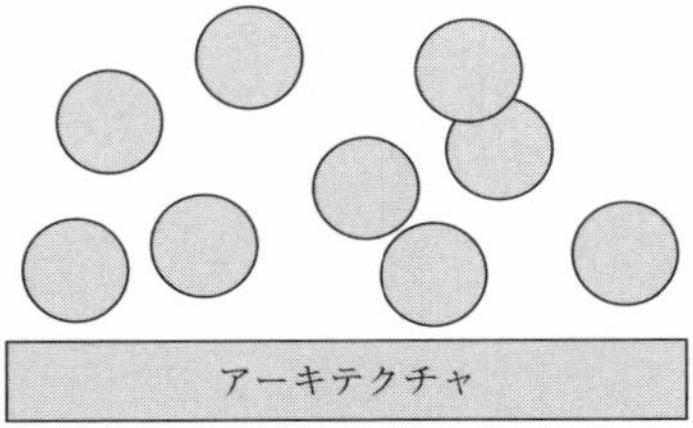

図3－2　ポストモダン

出典：筆者作成。

社会の構造が変わり、個人主義と多様化が進展したポストモダン状況に至ると（図3-2）、こうしたマスメディアはその能力を発揮することが難しくなる。ポストモダン状況の社会では、人々が欲している情報は極めて個人的である。情報を個人に消費してもらうためには、画一情報の一括配信は不向きで、受信する個々人の特性に応じてカスタマイズしなければならない。テレビもラジオも新聞も雑誌も、個別のカスタマイズに対応できるメディアではない。最初の適応の動きとしては、ＢＳやＣＳ、ＣＡＴＶによる多チャンネル化があったが、テレビに立脚する高コスト体質はやはり個別カスタマイズには向いていないし、テレビから見る水準でいかにチャンネル数を増やしても、インターネット上の情報の多様性には到底追いつかない。

ポストモダン状況下において利用者を増やした技術はインターネットである。先にも述べたが、インターネットが登場したから個人主義が台頭したわけではない。個人主義の台頭が先行して、その影響を受けた人たちが、自分のニーズに合致する技術を選び、その選択を受けてまた技術開発が進むのである。インターネットはそのニーズに引っかかったのだ。

こうして選ばれた技術が広く普及することで、社会がより個人主義を強めるといったフィードバックは働く。共犯関係である。だが、呼び水としての社会の変化が先にないと、新しい技術はなかなか普及しない。インターネットは今では放送を行うために使われることもあるが、そもそも放送ではなく通信の技術である。したがって、最も得意なのは一対一か、それに近い小さなグループ内での通信をアプリケーションに提供することだ。

インターネットのアプリケーションの中でウェブは、マスを対象にしているように見える。同じ情報を多くの人に見せているからだ。しかし、ウェブもまた古典的なマスメディアとは位相が異なる技術である。ウェブの空間は広大に見えて、利用者は実はとても限られた範囲にしかたどり着けないかもしれない。ウェブに蓄積された情報はあまりにも多く、広大な領域に散らばってしまったために、情報を発見するコストが高騰し、しまいには必要な情報にたどり着けなくなった。

利用者が望む情報へとたどり着く手助けをする検索技術を保有する企業が勢力を伸ばしたのは、そのためである。いまやウェブの情報は検索に検索を重ねてたどり着くものになっていて、検索エンジンがなければ利用者は手も足もでない。その、まさに確立されようとしていた検索エンジンの支配構造にあらがう動きが、近年の各企業によるアプリ攻勢である。

一度、利用者のPCなりスマホなりにアプリをインストールさせてしまえば、利用者は他の企業に惑わされたり、検索エンジンのアルゴリズムに踊らされずにその企業にアクセスし、たどり着くことができる。自社にたどり着くためのルートを検索エンジンの気まぐれに左右されずに確保しようとすれば、現状では最も安価な解決策である。

それはともかくとして、検索は意識的な行為で、それが好感であれ、嫌悪感であれ、何らかの興味に基づいて、利用者によって自発的になされる。利用者の興味にないものは、ウェブの検索結果には掲載されない。当たり前のことだが、ウェブ上には自分の見たい世界、知りたい世界しか存在しない光景が展開される。フィルタリングを通してしか世界に触れることができないから、自分の意見が世界を覆っているようにも感じられる。

幼稚園に行くと、園児が「みんなやってた」という理由で行為を正当化する場面によく遭遇する。しかし、その「みんな」とは、よくよく聞いてみれば、自分の周囲にいる友だちによって構成された極小のグループである。ここで園児の経験のなさを笑うことは簡単なのだが、長い経験の蓄積があるはずの大人でも、ウェブの世界では容易に同じ錯覚に陥ってしまう。他人から与えられた情報よりも、自分で選んで取得した情報のほうを人は信用する。その選択には、自分の好みによるバイアスがかかるのだから、なおさらである。

自分のつかみ取った情報がかなり極端だったり、偏った内容であっても、巨大な情報空間と洗練された検索技術があると、同じ情報を信じる利用者は比較的容易に見つけることができる。利用者同士のコミュニティ形成も簡単だ。いちどコミュニティができあがってしまえば、その内側で生じるエコーチェンバー効果で、さらに自分の意見は強固に頑なになっていく。価値観や意見の相対化と相まって、医師より自分の独自療法を信じる人、マスコミよりコミュニティ内の意見を信じる人は確実に[5]増えている。

フェイクニュースが台頭し、利用されはじめた背景もこれである。拡散したフェイクは、政府やマスコミが否定してもなかなか終息しない。むしろ、これらの旧権威が否定をすることで、実はフェイクこそが真実なのだと確信する。自分の嗜好だけを軸に選び、つかみ取った空間は、とても居心地がよい。それを突き詰めたサービスがＳＮＳである。ＳＮＳこそ、ふるいにふるわれた結果残った、自分と同じ意見、同じ好みを持つ者が集う場所である。

ＳＮＳが描く世界

多様化した価値観で溺れそうになる現代社会において、こんなに居心地の良い空間は他にない。自分と同じ意見の人がいることは、それだけで大きな安心感を得ることができる。同じ意見を持つ人は、自分の発言にも同意してくれるだろう。承認欲求を満たしにくい構造を持ついまの社会において、ＳＮＳはカジュアルに承認を得ることができる器である。だからこそ人々はそこを居心地良く感じ、長い時間を滞留し、たくさんの広告を見る。それがＳＮＳのビジネスモデルである。

よくも悪くも、ＳＮＳは現代社会の承認のしくみを形づくっている。不安な時代に承認をたくさん発行して人々に安心を与える一方、自分は承認されたと感じた人がその全能感を背景に自分と異なる意見を持つ他者を容易に攻撃することにも加担している。

大きな物語が瓦解しても、一人一人が自分で小さな物語を作り、それに賛同してくれる人が、たとえ数は少なくても集まり、互いに承認しあうことで、それぞれ自由にかつ満たされて生きていけばいい。ダイバシティの実現とは、そんな状態のことを言うのだろう。しかし、人はそんなに寛容ではないし、自信を持っているわけでもない。

もう一度、先ほどの図3-2に戻って欲しい。それぞれ勝手にやっている小さなグループの下に、社会を貫くアーキテクチャがある。言わずと知れたインターネットである。今の社会は、それがリアルであれ仮想であれ、インターネットを基盤として構築される。そのようにわれわれがしてきた。インターネットで結ばれたノード同士は、あまりにも接続性がよく、可視化の効果も絶大だ。ようは見えすぎるのである。SNSはまさにコミュニケーションを可視化するツールで、友だち関係も、行動も、会話もグラフで示すことができる。それは人々の欲望を知り、よりニーズに合致したサービスを生み、消費させるために大きな効果を発揮するが、可視化自体は不安をうむ。

クラスタやトライブと呼ばれる小さな集団の内部で仲良くできるはずだったし、その中では羽目を外すこともできたはずだった。いや、それは実現していた。でも、インターネットでは、他の小さな集団の様子もとてもよく見えてしまう。それは自分の自信や安心感、全能感にとってノイズになる。

ダイバシティは、互いの差違を認め合い、尊重することで成立する。でも、人の心理はそんなにおおらかでも強くもない。自分と違う他者を見つけたときにまず感じるのが、嫌悪や不安であったとして、誰がそれを責めることができるだろう。それはとても自然なことで、それをおかしいと指摘することは正論ではあるかもしれないが、誰も幸せにしないたぐいの正論である。

大きな物語は瓦解し、自分の立っている地盤はいつ崩れるかわからないのである。そんな立場に置かれた人が、自分と違う意見、自分と違う価値観に遭遇したとして、すぐに共感を示したり、許容することができたとしたならば、むしろその方が異常だろう。この当たり前を当たり前と言えない状況、つまりパブリックな空間では、自分の感情と乖離していても、正論を（あえてお為ごかしと言ってもいいだろう）吐き続けなければならない状況はいまの日本の生きづらさを形成している要因の一つである。少なくとも、感情と正論の間の距離は、一昔前よりずっと開いている。

自分の好きなことを信じ、自分の好きに振る舞っていいとは、言葉を換えれば自分を束縛する神や政府に責任を転嫁できないことを示しており、転嫁できないのであればその責任は自分で引き受けるしかない。第四の権力として、立法や行政を監視することを自ら任じ、いまもその文脈で情報を発信し続けるマスコミに対して、一般利用者の信用が下落しているのはここにも原因がある。

よく神や先生に例えられるグーグルでさえ、責任を転嫁する相手にはならない。満足できない検索結果を示されたとき、グーグルのページランク・アルゴリズムの責任を問うことはできるだろうか。それは無理だ。ページランクはウェブサイトへのリンクの集中度や閲覧数をもとに検索順位を決定するアルゴリズムであって、俗な表現を用いればサイトの人気投票である。その手順は極めて洗練されている。また、違法広告が含まれているサイトは順位を落とそう、古い技術が使われているサイトは検索結果に表示しないようにしようなどと、グーグルの意思が介入することもある。しかし、本質が人気投票であることは変わらない。そうであるならば、グーグルの検索結果に責任を持つのは、利用者である私たちだ。私たちが、ウェブサイトを検索し、閲覧し、リンクを張るから、そのサイトは検索結果の上位を占めるようになる。

これは、いわゆるＡＩにも言えることである。ＡＩの精度は高い。間違えることもあるが、少なくとも人間よりずっといい。そう言える分野はどんどん増えている。しかし、第一世代の研究者が目指したような、人間の汎用的な知性を実装したＡＩはまだ作られていない。思考すらしていない。

将来はともかく、今のAIは人間の過去の営みからデータを得て、その中から最もいい結果を出した行動を抽出し、それを再現できるようなモデルを試行錯誤して組んでいる。人間が間違った行動をとり続けていれば、AIも間違える。AIに採用をさせたら、差別的な採用をしたことなどは、よい例である。過去の採用で差別や懸隔があったから、その枠の中で行動を最適化してしまったのである。またAIは異なる価値観の処理はまだできない。たとえば、それが経済的に最適だと判断することはできても、倫理との対立が発生したときにどこまで許容するのかといった計算はできない。いずれにしろ、責任は個人に帰せられるのだ。

閉鎖空間での真実

二〇一六年後半にはWELQをはじめとする一部のキュレーションサイトのいい加減さが注目され、批判を浴びた。キュレーションサイトとは、すでに存在している情報を整理してまとめたもので、うまく再構成することができれば価値の高い情報を多くの人々に届けることができるとされている。

しかし、中には単なる盗用と見分けがつかないものや、利用者の投稿と説明されていたものが、実はライターが業務として請け負い作成していたことが発覚したりと問題が噴出した。WELQの場合は、利用者としては細心の注意を払って扱い、発信して欲しい医療にかかわる情報を、口コミの名の下にライターが執筆し、しかもそのライターは盗用を疑われる行為をしていた。ライター個人の行いかと思いきや、ライターに執筆を依頼していた運営企業が記事を作成するためのガイドラインを作っていたこともわかり、地獄絵図のような様相を呈した。

しかし、これが検索結果の上位を占めたのは、ＤｅＮＡの力だけではない。利用者がそれに加担したのである。つまり、利用者がそれをクリックしたのだ。グーグルが自らの意思を持たず、利用者のクリックによって検索結果を導くならば、ＷＥＬＱを検索結果の上位に押し上げたのは私たちの意思である。

グーグルの検索結果をクリックすることは、端的に言って投票だ。投票の結果選ばれる議員が検索結果である。議員が意思決定を間違えて、国家や地方自治体にダメージを与えると、その責任は最終的には有権者がかぶる。検索結果のクリックも同じことだ。しょうもない検索結果をクリックばかりしていると、しょうもないサイトが検索結果の上位を占めることになり、結果的に検索エンジンの利用者に不利益が降りかかるのである。クリックにすら自己責任がついてまわる。

「あなたの便秘は地球外生命体が起こしている」といった記事をクリックしている場合ではなかったのである。それは投票だ。

現実に、議院が深謀遠慮の施策を行うことができず、特定の有権者層や利益団体に短期的・近視眼的に訴求するポピュリズムが蔓延するように、インターネットの検索技術でも同じことが起きている。医師ですら、インフォームドコンセントの名の下に、患者に医療技法を選択させる時代なのだ。企業体、組織体がそれを責任逃れに使っている側面はあるとしても、利用者の権利はとても強くなっている。

自己責任にかかるプレッシャーは大きな不安である。自由と責任が与えられたとき、自由の享受を喜べるのは強い人だ。多くの人は、自由のみに目を向け快哉を叫ぶほどには強くない。自分と意見の異なる他者と対峙したとき、その不安は極大化する。ＳＮＳのクラスタが形作る繭の中にくるまれていれば、ふだんは自分と違う他者を見ることはない。しかし、インターネットという共通のプラットフォーム上にこれらのシステムが構築されている以上、偶然他者と出会ってしまうリスクは常にある。まして、炎上商法を行う者のように、異なるクラスタに属している人同士を接触させて、何らかの化学反応を起こそうと目論む誰かがいれば、そのリスクはいかようにも増大させることができる。

他者との対峙によって自らの立脚点を脅かされたり、不安を感じたとき、最も効率的にその不安を解消する方法は排斥だ。理解ではない。自分と異なる他者を受容するには、多くの知識を得て、環境を整え、しかも相手が裏切らないことが前提となる。いずれも、すぐには望みようもないものだ。暢気に相手に握手を求め、叩き潰されてしまえば、自分は立脚点を失う。大きな物語が機能していない世界だ。自分が紡いだ小さな物語が、小さな信仰が解体されてしまえば、もう寄る辺がなくなってしまう。不意の攻撃を受けて、自分の立場を崩されてしまったときのダメージは大きい。だから、受容する代わりに攻撃する。自分の主張や立場を脅かしそうな相手を、有無を言わさず叩き潰して、消してしまうことではじめて、自分の基盤は強化され、安心を得ることができる。承認された気分にも浸ることができる。

何をやっても自己責任の限りにおいて自由である、そんな社会では何をやってもそうそう特別になれるものではない。しかし、誰かにとって、あるいは自分自身にとって、自分が特別であるという自覚は生きていくうえで必要だ。特別であろうとする姿勢は、コンビニでアイスケースに寝そべる行為につながりもするし、インスタ映えを求めて橋から落下する事故につながりもする。

その最もシンプルな出方が、他人を叩くことで、自分の存在価値を確かめることだ。激しい戦闘に曝された兵が、戦って生き残ることで自分の価値を噛み締める行為の連鎖から逃れられず、より厳しい戦場を望むのと同じことである。SNSで利用者同士の叩き合いや炎上が起こることは、必然と言ってよい。アーキテクチャがもともとそのようにできているのだ。インターネットは議論に向いていない。叩き合いに向いている。可視化された人間関係は、コミュニケーションの履歴も貯め込んでいるので、一度攻撃すると決断したら燃料には事欠かない。いくらでも、小さな過去をほじくり返して攻撃することができる。それを防ぐ意味もあって、SNSの多くのサービスはクローズドネットを採用している。しかし、先にも述べたように、それも複数のサービスに登録し、横断的にサービスを行き来して情報をつなぐ人によって、クローズドネットはクローズドネットではなくなる。

生業として炎上をコントロールし、炎上から利益を得ている人がいる。彼らは意見の異なるトライブと別のトライブ、本来は接点のなかった二つのトライブをつなぐことで火をつけるスキルに長けている。SNSが形作る快適な繭の外側に、炎上の火種はいつも転がっている。

インターネットは当初の楽観的な期待とは異なり、ずいぶん殺伐とした荒野になっている。そうであるならば、経済発展も望めず、所得を増大する術もなく、自己実現の希望もなく、コミュニケーションのコストだけが高止まりしている現代において、引きこもりは（少なくとも局所的には）正しい戦略であったのだ。

サブカルチャーはその時代の空気と需要を敏感にすくい取る。バブルが弾け、オウムが暗躍し、阪神・淡路大震災が起こって以降の日本で、主人公の成長譚を迷いなく描き、賛美することは説得力を欠く。成長が望めない時代のジュブナイルとしてあまりにも現実から乖離していて空しく、感情移入できないからだ。

主人公を特権的な地位に置くのであれば、暢気なリア充をその上位から俯瞰するクレバーな引きこもりにして、「引きこもりでいいんだ。むしろ引きこもりだからいいんだ。人と接触さえしなければ間違えないし、傷つけない、傷つかない」とメッセージをもたせればよい。

あとは貴種流離譚か異世界転生だ。オタクはこれらのコンテンツを消費することで、安心感を得た。成長や自己実現なんてしなくてもよい、しないからよい。コンテンツに自分の生き方を肯定してもらえたのだ。

4　インターネットは社会の増幅器にすぎない

法の完全執行の誘惑

インターネットで生じる数々の事象は、社会で表出している事象の一部や差分である。単純にそれだけだ。軽視するのも危険だが、必要以上に重く捉える理由もない。インターネットは特別な何かではなく、（当たり前のことだが）社会の一部である。もし注意する点があるとすれば、かなりセンシティブに社会を映す鏡であるということだけだ。だから、「インターネットに接続すると、普段温厚な人が特別に狂気に走る」といった言い方は間違っている。「仮想世界上に夢幻のユートピアがある」という話も同様だ。たとえば、誰かが違法行為をしていたり、ずるいやり方で得をしたりすれば、いらっとするのは当たり前だ。ただ、そうした行為は現実世界ではなかなか目にする機会がない。あったとしても、一過性の現象であって、そのとき感じるいらだちも時が過ぎれば揮発していく。たばこの投げ捨てや行列への割り込みに憤慨しても、その時声を上げる勇気はなかなか生じるものではないし、時間の経過とともに記憶も薄れる。

しかし、インターネットにはこれが蓄積される。固定式の監視カメラや、多くの人が持ち歩くスマホが常に撮影の機会を狙っており、いらっとする行為が撮影され、ネット上にアップされる。ちょっとしたズルを撮影する行為は、その場で抗議するのと違って、かなり敷居が低くこっそり行える行為で、実行のハードルがとても低い。そして、ブログやＳＮＳなどのサービスにアップされた写真は、アカウントの抹消やサービスの停止がない限り、半永久的に残り続ける。オリジナルが抹消されても、魚拓という名のコピーが残り続けることもある。

可視化の果てに

強制的に可視化され、蓄積された記憶は、人をいらつかせるネタを常に用意し続けていると言っていいだろう。もちろん、それは悪いだけのことではない。物事のプロセスが可視化されれば、今まで隠蔽されていた巨悪や不合理が浮き彫りになるかもしれない。

情報が極度に蓄積されることで、有用な知見が導き出されることは、近年隆盛のいわゆるＡＩ(6)を見ても明らかである。自動車の自動運転技術も、将棋におけるプロ棋士に対する勝利も、疾病の罹患可能性予測も、選挙予測も、データの蓄積なしにはありえなかった。ただ、物事には必ず作用に伴う反作用があって、薔薇色の正の側面だけを享受することは困難だ。そして、インターネットにおける負の側面は、世界や社会、人が見えすぎることによる嫉妬やいらだち、そして自分が見えすぎる（少しニュアンスが異なるが、ジョージ・オーウェルの『一九八四』的に「監視」と言ってもよいだろう）ことの不安である。

人間は基本的には真面目なので、何か制度やルールがあると、それを完全に履行したくなる心理が働く。ゴミのポイ捨ては禁止だという条例があれば、やめようという意識が働くわけだ。と同時に、自分が守っているルールを人にも守らせようとするし、守らない人がいれば立腹する。この立腹はいままでは飲み込まれて霧散してきた。現実問題として、すべてのポイ捨て行為を監視して取り締まれるものではない。ルールの完全執行は無理だった。でも、インターネットは完全執行を、少なくともそれを夢見るか、近いことを行うことを可能にしてしまった。世界中に散らばった個々人のカメラが違反行為を撮影し、くまなく張り巡らされたネットワークがそれをつなぎ、ルール違反を快く思っていない人のところへと導く。

声を上げるのも簡単だ。監視網と蓄積力の強化によって、違反を発見するのがリアルタイムでなくともよくなったように、違反を指摘する声もリアルタイムで発する必要はなくなったのだ。もっとスマートなやり方で、たとえば対面ではなくメッセンジャーで、違反者本人ではなくその上司や所属する会社の広報へ、あるいは世間という第三者へ報告すれば事足りる。個人主義の台頭とインターネットの普及によって、個々人の力は強くなった。市井の糾弾に接したとき、会社や地域社会が違反者に対して何らかのペナルティを与える確率は決して低くはない。

インターネットが、ルールの完全執行欲を産み落としたわけではない。もともとそういう欲求があったのだ。軽犯罪法の第四条に、法令の安易な執行を戒める文言が記載されていることからも、それは明らかだろう。軽犯罪法は、やりようによっては、いくらでも人を科料に追い込むような真似が可能だから、人の欲求を見越したうえでそれを抑止したと言える。

この法律の適用にあたつては、国民の権利を不当に侵害しないように留意し、その本来の目的を逸脱して他の目的のためにこれを濫用するようなことがあつてはならない

ルールはその構造上、必ず四角四面、杓子定規にならざるをえない。それを上手に取り扱うためには現場の柔軟な運用が必須である。それが生活を円滑に営んでいくための知恵であり、そもそものルール執行上の限界であるわけだ。どんなルールであれ、完全執行を求めれば、そのルールに規定されて生活する人々は少なからず窮屈さやぎすぎすした人間関係を甘受しなければならなくなる。インターネットというプロメテウスの火は、事実上不可能であったルールの完全執行を、努力すれば可能な水準の作業にしてしまったのである。

インターネットのコミュニケーションは素晴らしいものだ。コストや物理的距離の制約をほぼ無効化し、異なる言語や異なるバックグラウンドを持つ人々を容易に結びつけ、それまでには考えられなかった豊かな関係を構築することができる。しかし、一方で世界中に張り巡らされたコミュニケーションネットワークは、監視網として機能し、見えなくてもいい他人のエゴや違反行為を赤裸々に意識

に送り込んでくる。いまや私たちは、どれだけ情報を取得するかではなく、どれだけ情報を遮断できるかのリテラシを身につけなければならなくなりつつある。

5　勝ち取った自由と、負わない責任

匿名の嘘と慢心

こうした現象が起きている背景には、インターネットが匿名だといまだに誤解されている現実がある。この点は先にも触れたが、いま少し説明を加えておこう。インターネットは通信のインフラであり、その通信手順はＩＰ（Internet Protocol）によって定められている。

そして、ＩＰにおいては、送信者と受信者は明示されるのが原則だ。つまり、インターネットはその構造上、匿名性はないと考えるべきだ。インターネットが匿名通信ができる場であるかのように考えられたのは、ＢＢＳ（電子掲示板サービス）などに、匿名やハンドルネームで投稿可能であったことが原因だ。確かにこれらのサービスには、自分の本名を伏せて投稿することができる。しかし、匿名の無言電話の発信者にも電話番号が必要であり、通信事業者はそれを把握しているように、インターネット上の通信も、必ず送信者、受信者にＩＰアドレスが必要である。

いわゆるハッキングなどの行為をしたい場合、偽装工作によって存在しないＩＰアドレスや他人のＩＰアドレスを送信元として設定することは可能だが、技術的なハードルは（一般的な利用者にとっては）高く、基本的にはＩＰアドレスによって送信者は把握されていると考えてよい。そして、ＩＰア

ドレスと氏名を紐づけることは難しくない。匿名であると認識してネット上で傍若無人に振る舞っていたら、発信者情報開示請求が行われ、本人の特定に至るケースなどがまさにそうだ。

だが、事実がどうであろうと、いまだに一定数の利用者はインターネットが匿名であると誤解していて、現実の社会において相手に面と向かっているときよりも雑で攻撃的なコミュニケーションが行われている。ここで問題なのは、権利と義務に非対称性が見られることである。どんな時代、社会体制においても権利には義務が伴うが、現在は相当程度義務の履行が免責されている状況である。たとえば、刀剣を持つ者は強大な力を保有することになる。そのために、刀剣をきちんと扱う技術や倫理を備えることが要求され、力の行使を厳しく管理される。これらを修得するための決して短くはない期間で、人格を磨くことも期待されるし、年齢制限も設定される。

力を行使する覚悟と責任

情報の発信も本来こうした性質を持つものだった。特に多くの人の目に触れる公衆送信を行う者は、放送免許の取得が義務づけられるなど、その資質や責任が幾重にもチェックされる体制が築かれていた。

しかし、多くの科学技術がそうであるように、インターネットもまたきわめて容易にその技術を利用することができる。特別な精神修養や肉体の鍛錬を経ずに、誰でも力を行使できるようになるのが科学技術の長所だが、一方で技術も倫理も識見も持たない者が強大な力を持つ可能性がある。

極端な話をすれば、幼児にだって弾道弾の発射ボタンは押せる。それと同様に、スマートフォンが一つあれば、世界に向けて情報を発信することができる。現在、スマホを持つときに、情報倫理や情報技術の技量を証明してみせる必要はない。また、スマホを通して情報を発信したとして、それをチェックする体制も整備されてはいない。むしろ、通信の秘密や表現の自由といった権利に守られ、こうしたチェックは行いにくい傾向にあるのが現実である。そして、それがたとえ善意や無作為の結果であったにしろ、間違った情報を発信して社会に影響を与えてしまったときに、それに対して責任をとったり、是正したりする構図はまったくと言っていいほど描かれていない。

もちろん、通信の秘密や表現の自由は基本的な権利であり、十分に保護されなければならない。しかし、通信と放送の融合によって、個人が情報を発信する能力が著しく高まっているいま、どこかで個人の情報発信を放送として捉え直さなければならないタイミングがやってくるだろう。個人の情報発信に免許のようなものを導入するのは難しく、また十分な責任を負うことも難しいかもしれないが、少なくとも間違った情報や悪意のある情報が伝播したときに、それを素早く確実に収束・是正する機構を考えておかなければ、「暮らしにくい」といった水準を超えて、「危険な」世の中が現出してしまう。フェイクニュースやポストトゥルースには、その萌芽が見て取れる。

（1）　技術は常に社会によって選ばれる。純技術的に見て、どんなに優れた技術でも、それが登場した時代に適合しなければ、普及し洗練されることはあり得ない。

たとえば、パーソナルコンピュータのオペレーティングシステムとしてＭａｃＯＳやウインドウズが世界を席巻した。その大きな原因として、マルチウィンドウ型のＵＩ（ユーザインタフェース——操作画面、操作方法）があげられるが、同様の技術はそれに先行する形で他の企業や国にも存在していた。日本企業でもダイナウェアなどがウインドウズ3・1以前にマルチウィンドウ型のアプリケーションを作っている。でも、その時点ではマルチウィンドウシステムは、利用者に選ばれなかった。利用者が新しいタイプのUIに慣れていなかったこと、アプリケーションを駆動させるプラットフォームである当時のパーソナルコンピュータが、それを円滑に動作させるには非力でユーザ体験がプアであったこと、対応し連携するソフトウェアが極めて小さい範囲に留まり利便性が劣悪であったことなど、理由はいくらでもあげられる。一つ言えるのは、まず社会の側が変容し、それまでにいくつもあった技術の萌芽の中から、変容した社会に適合するものが選ばれ、その技術が普及し、普及の過程の中で洗練されていくということだ。技術の発展はそういうプロセスを辿る。

（2）社会の状況は文学や映画、音楽などに不可避的に反映される。北朝鮮が発するコンテンツは、見事に北朝鮮の体制を反映している。大日本帝国が生産したコンテンツも然りである。

（3）社会変容は本当に多様な形態をもって表面化する。たとえば、アイドルはこの三〇年間で確実に個人商品からグループ商品へと形態を変えた。その理由はひとえに情報技術の進展に尽きる。すなわち、主たる商品であったCDが劣化しないコピー技術や無償のメディアによって売れなくなったのである。人は無償でその商品のコピーが入手できるとき、それにお金を支払わない。そのコピーがオリジナルと変わらない品質を持っているならなおさらである。しかし、アイドルも商売で活動している以上、マネタイズの手段は考えなければならない。しかも、その手段はコピー不可能なものでなければならないのだ。最も端的な手段は握手である。これはいまのところコピー不能だ。これが唯一のマネタイズ手段であるならば、収益の拡大のためには手の数を増やさなければならない。これがアイドルがグループ化した大きな理由だと考える。したがって、VR技術（体験をデジタルデータでコピーする技術だ）が発展をみたとき、いわゆる握手会商法は通用しなくなる可能性が高い。いまのところＶＲは技術として未熟で、そこで得られる体験がリアルのそれにかなわないから握手会商法が成立しているわけである。なお、ポストモダン化、すなわち異性への好みの多様化をもってこの現象を説明することも可能だろうが、それだけが理由であると考えることには無理がある。

（4）価値観が多様化した社会ではなかなか他者からの承認が得られず、自己を充足させる方法は、同じ属性をもった小集団を形成して居心地のよい空間を作る方向へ収斂していく。しかし、この小集団の正当性や優越性は、誰かからの承認によって与えられたものではなく、あくまでも自らが積み上げた信念（場合によっては思い込み）に依存している。ＳＮＳはこの作用を強く促進する装置である。

そのため、根源的には自分の主張や立ち位置が正しいのかについて常に不安が存在する。同質の仲間とのやり取りによって普段はこの不安は緩和されているが、偶然（もしくは何らかの意図を持った者による必然）の作用で、小集団同士が出会ってしまうこともある。大きな物語のない時代に、異なる意見や属性を持つ他者は直接的な脅威となる。このとき、小集団同士で議論をしたり、正当性を証明するために自らを高めるような行為が導出されればよいが、自分の優位を示すだけなら、もっと効率のよいやり方がある。それが相手をけなして否定することである。ネット上の言説が議論にとどまらず、相手の足腰が立たなくなるまでのたたき合いに発展してしまうことがあるのは、この構造が原因だと考えられる。

（5）ただし、ネット上でのコミュニケーションは再現なくトライブの中に閉じこもって内向きな仲良しの空間を形成していればよいのかといえば、それも不毛である。ＡＩが形作る快適な繭のような空間にやわらかく埋もれていることは、私のような一部の人間にとっては至福だが、（現時点では）大多数の人にとってやはりディストピアだ。たとえば、フェイクニュースへの向き合いかた一つとっても、「科学的で精密な議論は正解を導くが、自分にとって辛い結論を押しつけられるだけだ。それなら、優しくて、ぬるいコミュニケーションがとれるデマやフェイクニュースのほうが自分にあっている、そちらを信じよう」という人が多数派であるような状況は健全ではありえない。

欲望が満たされているようでもあり、その欲望自体が誰かに喚起されて単なる消費マシンになっているようでもありといった状態は、人間の自由意思とはほど遠いだろう。

（6）過去には人間の代替となるような人工知性をＡＩと呼んでいた。近年ではたとえば囲碁のみに特化したアプリケーションなどもＡＩと呼ぶため、前者を強いＡＩ、後者を弱いＡＩと呼んで区別することがある。ここで取り上げているのは弱いＡＩである。

第4章　インターネットが社会に返す影響

1　スモールワールド

世界は本当に狭いか

どうしてSNSは頻繁に炎上するのだろうか。もちろん、アイスケースに寝そべったり、食洗機に寝そべったり、不倫相手と寝そべったりする人がいて、それをわざわざ公の場に投稿するからだが、一人二人ではなく、季節の風物詩のようにそれが繰り返されるのであれば、そこには何らかの構造があると考えるべきだ。

これを説明するにあたって、前提知識としてスモールワールドとクラスタに触れておく。知っている、という方はこの節は読み飛ばしていただいて構わない。スモールワールドは、その名前の通り「世界は狭い」という状況を説明する。「世界は狭い」については、慣用句にもなるくらいだから、多くの方が首肯するのではないだろうか。殿上人のような著名人が友人の友人だったり、友だちの友だちがアルカイダである国会議員もいるほどだ。

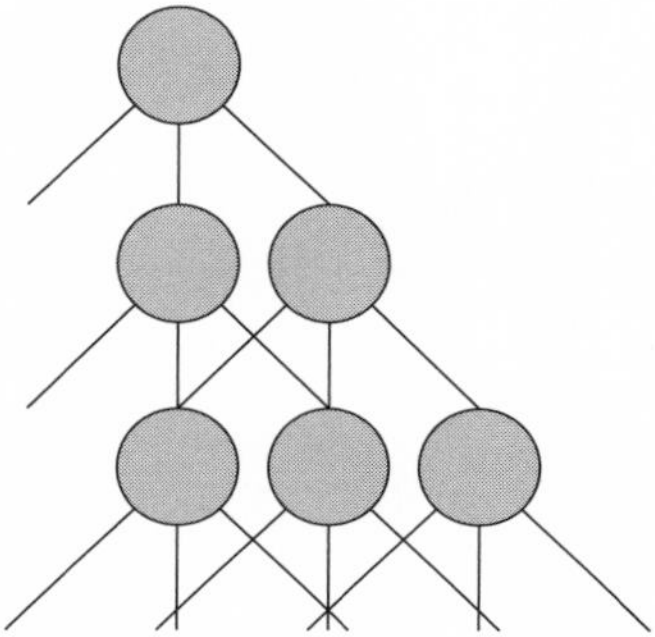

図4-1　友だちには、さらに40人の友だちがいる
出典：筆者作成。

では、なぜこのように世界は狭いのだろう？　この問いかけに対する考察としてよく出てくるのが、友だちのネズミ算である。私は友だちが少ないので、にわかには信じられないのだが、日本人の平均友だち数は四〇人ほどだと言われている（図4-1）。すごい数だ。でも、地球の総人口に比べれば大した数ではない。誤差にもならないような数値である。七〇億に対して四〇人程度友だちがいたところで、世界に対して何ができるのか、といったところだが、先の仮定を正しいとするのならば、各々の友だちには四〇人の友だちがいるのだ。

べき乗の力は恐ろしいもので、最初は四〇人だった友だちも、友だちの友だちになると一気に一六〇〇人に膨れ上がる。絶対に名前を覚えるのは無理だし、毎日誰かのうちに遊びに行くとしたら、一巡するのに五年近くかかる計算になる。最初の方で訪問した人の顔は、すでに忘れている気配が濃厚だ。友だちの友だちの友だちになると六万四〇〇〇人で、友だちの友だちの友だちの友だちでは二五六万人だ。六人辿れば総数は四〇億に達し、七人辿れば一六〇〇億になる。つまり、友だちを六人辿っていけば人口の大半をカバーし、七人辿る気概があれば世界中の誰にも到達できることになる。なるほど、確かに世界は狭い……と思わず頷いてしまいそうになる。しかし、実はこの説明は実態に即していない。

たとえば、私が尿漏れの悩みを持っているとしよう。尿漏れの世界的権威に相談するために、友だちを辿っていったとして、本当に到達できる可能性は儚げだ。それは何故か。友だちの友だちは、私とも友だちである可能性が高いからだ（図4-2）。友だちのAさんに少ないお小遣いをやり繰りしてココイチのカレーをおごってあげた結果紹介されたBさんは元から友人だった、という可能性はとても高い。私の知り合いは、声優さんが好きだったり、アニメが好きだったり、ゲームが好きだったりする人たちばかりで、紹介の紹介はそのネットワークの中だけで回ってしまい、いつまでたっても尿漏れの世界的権威にはたどり着けそうにない。友人関係は拡散せず、円環の中に閉じている。

これをネットワーク理論ではクラスタと呼ぶ。たくさんの人がいて、本当は誰とでも友だちになれる可能性があるのに、結局はクラスタを形成することが多くなる。もちろん、それには合理的な理由があって、同じ話題や趣味を持つもの同士、同じ地域に住むもの同士、同じ年齢層に属するもの同士でのグループは居心地がよく、同じ前提を共有できるため、これまでにも問題として取り上げたコミュニケーションのコストを小さくすることができる。クラスタを作ることができる可能性と、実際に作られているクラスタの比をクラスタ係数と呼ぶ。人間がつくる友人のネットワークはクラスタ係数が高いのだ。これも、生活実感として思い当たるところがあるのではないだろうか。まさにその実感こそが、先ほどの説明との矛盾になっている。同じ属性のもの同士で集まりがち、クラスタ係数が高い、ということは、人間関係が円環の中へ閉じることを意味するからだ。

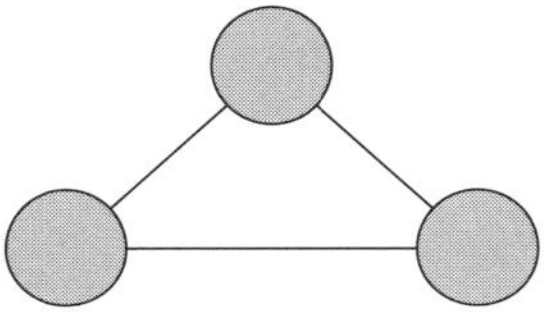

図4-2　私が構築しているなけなしの人間関係
出典：筆者作成。

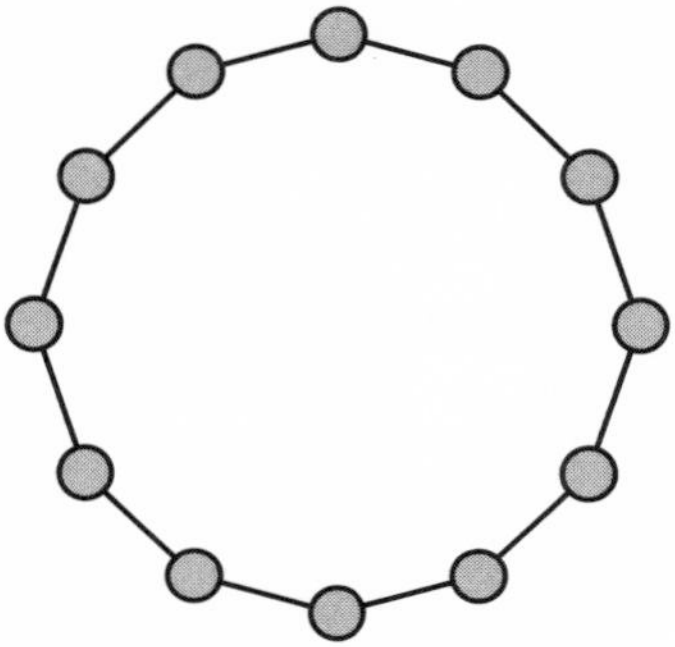

図4－3　円環状のネットワーク
出典：筆者作成。

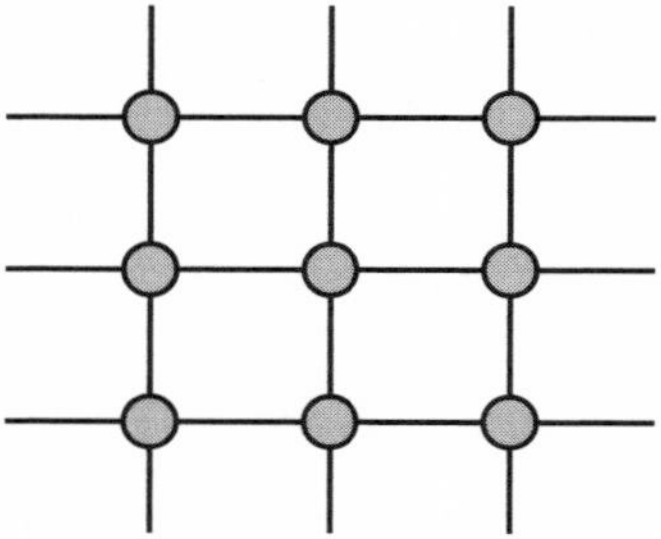

図4－4　格子状のネットワーク
出典：筆者作成。

人間関係が外へ向かって発散していけば、つまり「友だちの友だちは、自分とは直接友だちではない」状態であれば、「何人か辿れば、世界中の人へ行き着く」ことを説明できる。この場合クラスタ係数は小さくなければならない。しかし、現実には人間関係のクラスタ係数は大きいのである。

小規模で濃密な人間関係を維持しつつ、外の友だちに向かっても開かれたネットワーク（スモールワールド・ネットワーク）というのはなかなか難問だが、これをうまく説明した人が現れた。ダンカン・ワッツとスティーブン・ストロガッツである（彼らの著書では『スモールワールド・ネットワーク』が読みやすいので、興味を持たれた方は一読をおすすめする）。

スモールワールド（人間関係以外にも、いろいろなスモールワールド・ネットワークがある。ここでは人間関係を例に説明を続ける）の特徴は、①世界は狭い、②濃密で閉じた人間関係であった。専門用語では、①を頂点間距離が短い、②をクラスタ係数が大きいと表現する。

たとえば、図4-3のような人間関係の場合はどうだろう。これは隣の人に行き着くなら、線を一本辿るだけだが、円周の反対側にいる人に行き着こうとすると線を六本経なければならない。たった一二人のネットワークなのに、である。これでは「世界は狭い」とは言えない。

格子状のネットワーク（図4-4）も冴えない。左上の人から右下の人に至るまでに通過しなければならない線は最短で四本である。たった九人だけの人間関係としては迂遠な経路だ。直感的にも人間関係はこんなに綺麗な円環や格子状にはなっていなさそうである。

それでは、ランダムなネットワーク（図4-5）はどうか。隣の人と関係を結んだかと思えば、遠くの人とも同じように友だちのパスが開かれていることがわかる。この形であれば、「特定の誰かにたどり着くまでの線の本数」は小さくなる。意外なところに「友だちの線」があるので、接点がなさそうに思える、自分からは遠そうに思える人にも意外に短い経路で到達できる。

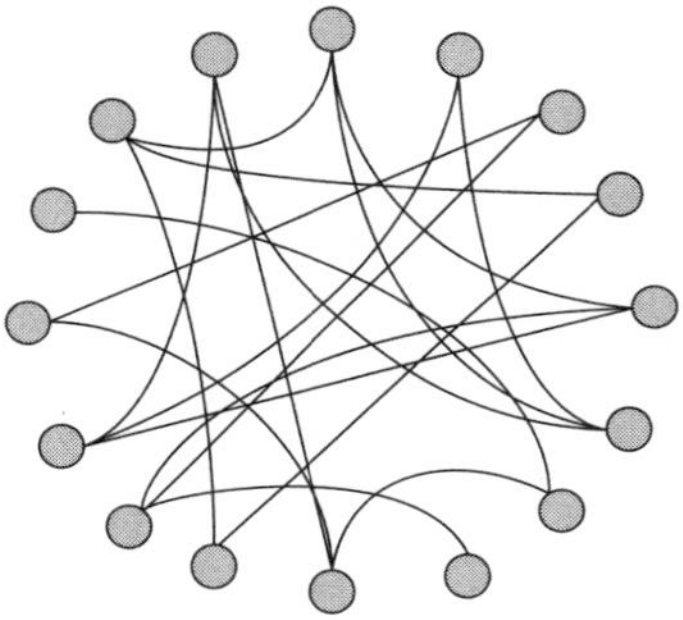

図4-5　ランダムなネットワーク
出典：筆者作成。

では、現実の人間関係がこうなっているかというと、やはりこれも違うのだ。自分の周囲を想像しても、人と人との結びつきはこんなに突発的ではない。やはり場所や所属や趣味や血縁が近しい人たちが、相互に濃ゆい結びつきをもってねっとりと暮らしているのだ。ランダムなネットワークは、頂点間距離の短さは上手に表現しているが、人間関係のこの側面を、言葉をかえればクラスタ係数の高さを示すことができていない。

示された解答

これを解決したのが、ワッツとストロガッツのモデル（図4-6）である。

クラスタ係数の高い規則的なネットワークの中に、少しだけ「遠くの友だちとつながっている異端」を混ぜる。基本的には、近場で仲良くまとまっている人が大多数を占めている。つまり、クラスタ係数は高いわけだ。しかし、ところどころに近くの人だけでなく、遠くの人とも接点がある人（遠くの人に対する近道を持っている人、と表現してもいいだろう）を置いている。この近道の効果は絶大だ。ところどころにしか近道は存在しないが、少数の近道があるだけで、頂点間距離はとても短くなる。身近でまとまった仲良しグループを基本としつつも、遠くにいる人とも大した手間なくつながれてしまうネットワーク、すなわち人間関係をとても上手に表現できたのである。

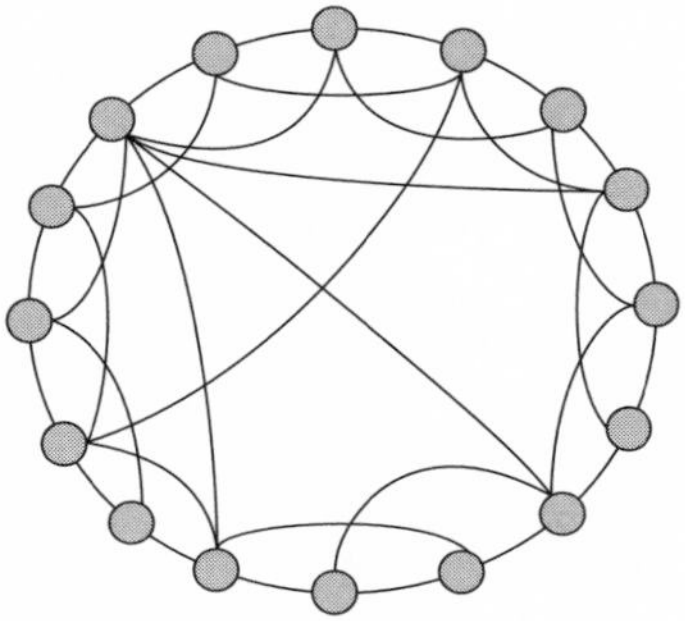

図4－6　ワッツとストロガッツのモデル
出典：筆者作成。

スモールワールド・ネットワークから導かれる結論は、必ずしも私たちの生活実感に沿うものばかりではないが、多くの人がこぢんまりとした枠の中で友だちをつくり、たまに妙な知り合いがいる人が現れるというモデルは、納得しやすいのではないだろうか。

もちろん、こうした構造を持つのは人間関係だけではない。他にもスモールワールド・ネットワークの構造を持つ事象はたくさん存在する。汎用性の高いモデルを作ったからこそ、ワッツとストロガッツは賞賛されたのである。

スケールフリー

人間関係の、特にインターネット上で展開される人間関係のもう一つの特徴は、スケールフリーである。ここでいうスケールとは尺度のことで、これに特徴がないという意味だ。たとえば、人間の平均身長が一七〇センチメートルだとして、一八〇センチメートルの人はまだまだたくさんいる。しかし、一九〇センチメートルになると極端に減少し、二〇〇センチメートルの人はほぼいない。減り方(分布のしかた)に特徴がある。それに対して、平均年収を考えてみる。日本人の平均年収が四〇〇万円だとして、一〇〇〇万円もらっている人はバリバリいる。二〇〇〇万円の人もいるし、三〇〇〇万円の人もいる。五〇〇〇万円になると少なくなるが依然として存在するし、一億円、一〇億円、一〇〇億円……と極端な数値をあげていっても、そういう年収の人たちは実在するのだ。年収の場合は身長と違って、このラインを超える人はいない、という特徴がない。この現象をスケールフリーと呼ぶのである。

こういう話を聞いたことがある方も多いと思う。アマゾンの成功を説明するときによく例として出てくるものだ。書店の利益の多くは、ベストセラーが叩き出す。書籍をざっくり二分すると、爆売れする一握りのベストセラーと、ほとんど売れないほとんどの本になる。ただ、売れない本はまったく売れないかと言えば、たまには売れるのだ。ベストセラーが一分に一冊買ってもらえるとしたら、一日に一冊買ってもらえる本、一週間に一冊買ってもらえる本、一カ月に一冊買ってもらえる本、一年に一冊買ってもらえる本……と、購入頻度はどんどん小さくなっていくものの、売れる可能性はゼロにはならない。いわゆるロングテールである。

もちろん、リアルな書店は限られた土地、それも人がたくさん集まるような地価の高い場所に出店するので、一年に一冊しか売れないような本をそうそう置いておくわけにはいかない。ところが、通販専業のアマゾンは坪単価の高い土地に本を置いておくようなことはしなくてすむので、あまり売れない本も無理なく扱うことができる。

したがって、アマゾンは「他の書店が扱うことができないロングテールから収益を得ている」という言い方が（当初喧伝されていたほどではないにしろ）成立する。

格差が生まれる理由

スケールフリーは、社会のさまざまな現象をきれいに説明することができる考え方だ。なぜ、それが起こるかはこう説明される。すでにある程度こなれた人間関係が存在するとして、そこに新しい人（転校生でも、新入社員でもなんでも構わない）が参加することになったとしよう。そこにいるすべての人と仲良くするのは現実的でないとして、新参者は誰と親しくなるだろうか？　すでに多くの友人を持っている人だ。人間関係に絶対はないが、傾向としてそうなる。新しい環境でなるべく自分に利得の大きい人間関係を構築しようとするならば、孤立している人と友だちになるよりは、たくさんの友だちに恵まれている人と友だちになった方が、その後の人生がうまく行きそうである。

ことは人間関係に留まらない。たとえば、新しい空港ができたとして、どの空港との間に空路を開設したらよいだろうか。新しい空港だから当然新参者で、これから需要を掘り起こしていかなければならない。そんなときに、他の路線に恵まれていないローカル空港との空路ばかり開設しても、ニッチな需要しか取り込めない。効率を考えるならば、すでに巨大な空路網を構築している空港（いわゆるハブ空港）、すなわち羽田や成田、関空、チャンギなどとの間に直行便を飛ばすべきだ。

スケールフリーは、とくにインターネットのような情報ネットワークでその特徴を際立たせる。リアルな社会では、先ほど述べたような「新参者が現れる」（「成長」と表現する）、「なるべく人気のある人とつながる」（「優先的選択」と表現する）ことに物理的な限界があるからだ。

どんなに素晴らしい店舗があっても、あまりに遠方であれば手近なお店で我慢してしまうかもしれない。万難を排して遠くまで出かけていっても、店舗に入れなければそれまでである。ＵＳＪに追い上げられているといいつつも、相変わらずディズニーランドは人気がある。でも無限にお客さんを入れられるわけではない。年間四〇〇〇万、五〇〇〇万といった顧客は、現在の施設・用地ではそもそも収容できないだろう。羽田がどれだけ便利で、成田の便がぜんぶ羽田発着に鞍替えしたいと思っても、それらを収容できる発着枠はない。結果として、ぱっとしないテーマパークにも、空港にも、おこぼれの需要が発生する。

ところが、インターネットにはこうした制限がほぼないか、あってもリアルな社会より非常に緩和されたものになる。遠い場所にあるからアマゾンにアクセスできないということはないし、人が多すぎて東京ドイツ村のウェブページが見られないということにもなかなかならない。

これは、ある意味で格差を助長する構造である。リアルな社会であれば、どんなに人気のある人で

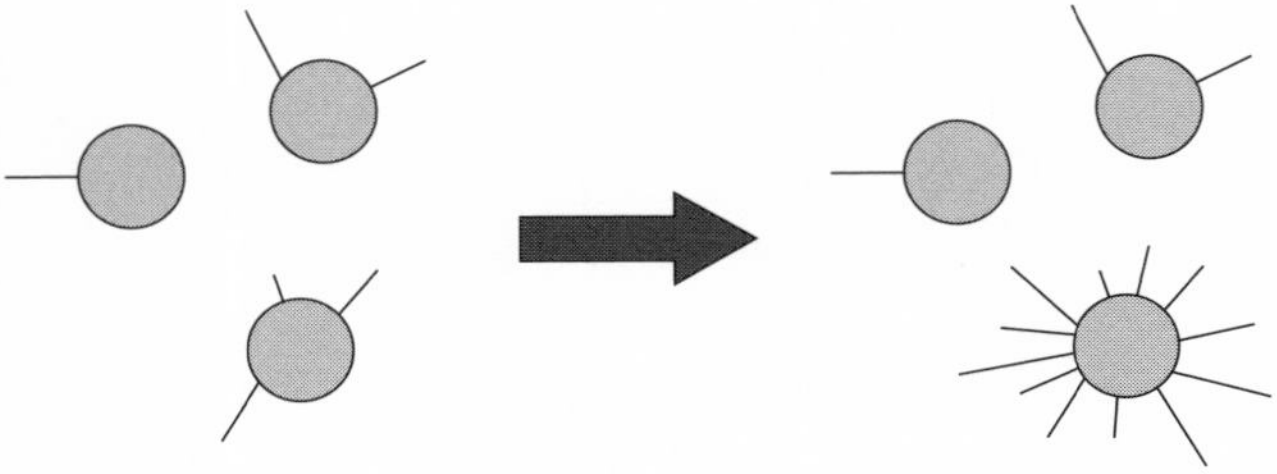

図４－７　リンクは集中する

出典：筆者作成。

も学校全体の学生と友だちになり、友だちで居続けることは無理だ。そこには、あまり人気のない人同士の妥協した友だち関係などというものが成立する余地がある。でも、ＳＮＳであれば、友だちになることに限界はない。友だちの定義にもよるが、フォローする程度の関係であれば万～億単位の人をさばくことも可能である。このモデルは身も蓋もない現実をえぐり出す。ほとんどの人はたいして友だちがいないのだ。

資産もそうである。これまでだってそうだったのだが、情報ネットワークによってこれが可視化され、さらには助長された。なんとなくわかっていた事実でも、明示されるとなれば残酷である。世の中には大きな格差があることが、どうしようもないくらいの実感をもって目の前に立ち現れてきたのである。この格差は、能力に応じて生じているわけでもない。大成功している人（たくさんの友だちとつながっている人）も、全然友だちがいない人も、初期条件が少し違えば立場は逆になった可能性が十分にある。

はじめはほんの少しの差であったものが、優先的選択を繰り返していくうちに、取り返しのつかない断絶に固定されていくのである。かくして、身近なところで濃密な少人数のネットワークに閉じこもらざるをえない大多数の人々と、数え切れないほどの友だちのネットワークを異なる階層、異なる地域、異なる文化へと伸ばしていく少数の俊秀に世界は分かたれた（図4—7）。

身近で濃密な小グループが悪いわけではないが、社会への影響力や金銭、権力、知識へのアクセスといった、よりスムーズに人生を送るためのツールを使いこなすのは後者だ。数量ベースで言えば、ほとんどの人は前者に含まれるので、「インターネットは世界をフラットにする」という主張は正しいのかもしれない。しかし、完全なフラットではなく、ところどころに特異点が存在するのが正確な姿である。その他大勢と著名な人の格差は、少なくともその見え方は、インターネットの登場以前より大きくなっている。

2　どうしてＳＮＳは炎上するのか

炎上の必然

こうした構造が明らかになると、ＳＮＳが炎上するのはほぼ必然であると理解できる。ＳＮＳは情報ネットワーク上に人間関係を構築するシステムである。そして、リアルな人間関係のように物理的な制約に左右されない。つまり、大きなクラスタ係数や小さな頂点間距離、膨大なリンクを集約するハブといった特徴が、浮き彫りになる。

クラスタ係数が大きいから、ＳＮＳのメンバーは同じ地域、同じ階層、同じ年代、同じ趣味などによって結ばれ、濃密な関係を結んでいる。とても内輪意識の強い集団であると言えるだろう。リアルな井戸端会議がそうであるように、彼らがやり取りする情報のほとんどは閉じたグループの中で消費される。

そして、そういう情報消費を繰り返すと、まるでそのネットワークの中には仲間しかいないような錯覚が生まれる。この事象をエコーチェンバーと呼んだ。実際、多くのSNSがそう錯覚させるようなインタフェースを持っている。気の置けない仲間だけで構成された空間、居心地の良い空間が演出され、情報の発信と消費を促すのだ。

仲間内での情報交換は、過剰と欠落を伴う。いわゆる楽屋オチ、内輪受けをもとめて、表現が過激化する傾向が見られるようになる。そして、仲間内で十分に前提知識が共有されているため（いるがゆえに）、言葉の細部の説明が雑になったり、一般論としておかしなニュアンスの語が選択されるなどの現象が起こる。

もちろん、仲間内だけで流通する情報であれば、それでいいのだ。ちょっと説明が足りないところがあっても、相手が補ってくれる。そもそも価値観や知識範囲に共有している部分が大きいので、誤解が生じにくい。しかし、異なる知識、異なる価値観、異なる社会環境を持つ人たちにとっては、それが通用しない可能性が高い。「増えすぎた金魚をちょっと川に流してきたんだよね」は、仲間内では笑い話で処理されるかもしれないが、生態系の汚染を心配する人たちには許すべからざる行為に映るかもしれない。

ポストモダン的な社会が現実のものになったのは、インターネットの登場が契機になっている。どれだけ人々が閉じた個の空間を志向しても、人間は食べて寝て便をしないと生活できない。そのためにはどうしたってリアルな社会とかかわりをもたなければならないし、リアルな社会において距離は絶対的に重要な指標である。嫌な人でも話の合わない人でも、半径一〇メートルで仕事をしていれば、住んでいれば、食事をしていれば、付き合う必要が生じる。

インターネットは距離を無効化し、遠くの人と距離を気にせず付き合うことを可能にした。これは、気の合う人を見つける可能性を、違う言葉を使えば、嫌な奴と付き合わないですむ可能性を拡大する。そして、情報システムによって作られたこの仮想空間は、検索とフィルタの技術を洗練させ続け、目に見えない繭を作ることができるようになった。どこまでも同じ属性の人を繭の中に引き込み、考え方や見た目が異なる人は繭の外にはじき出すことが可能である。これは、インターネットというプールに大量のピンポン球が浮かんでいるような状態で、多くの人はピンポンの中で同質な仲間と快適に過ごしている。

「世界っていうのは、携帯の電波が届く場所なんだって漠然と思っていた」というのは、新海誠『ほしのこえ』の至言だが、ＳＮＳが形づくる繭も、利用者の世界を規定すると言っていいかもしれない。他の繭に属している人は他の世界に属しているのであって、現実感を持って想像するのが難しい。どれだけ他の繭で悲惨な事態が起こっていても、別の世界であればご愁傷様としか思えないかもしれない。北朝鮮は予断を許さない状況だが、ＳＮＳの繭を通してエンターテイメントとして消費している人たちは確実に存在する。

しかし、このピンポンは孤立しているわけではない。同じプールに浮かんでいて、それこそが問題なのである。ふだんは意識していなくても、ピンポンは過密でいつもニアミスを繰り返している。ぶ

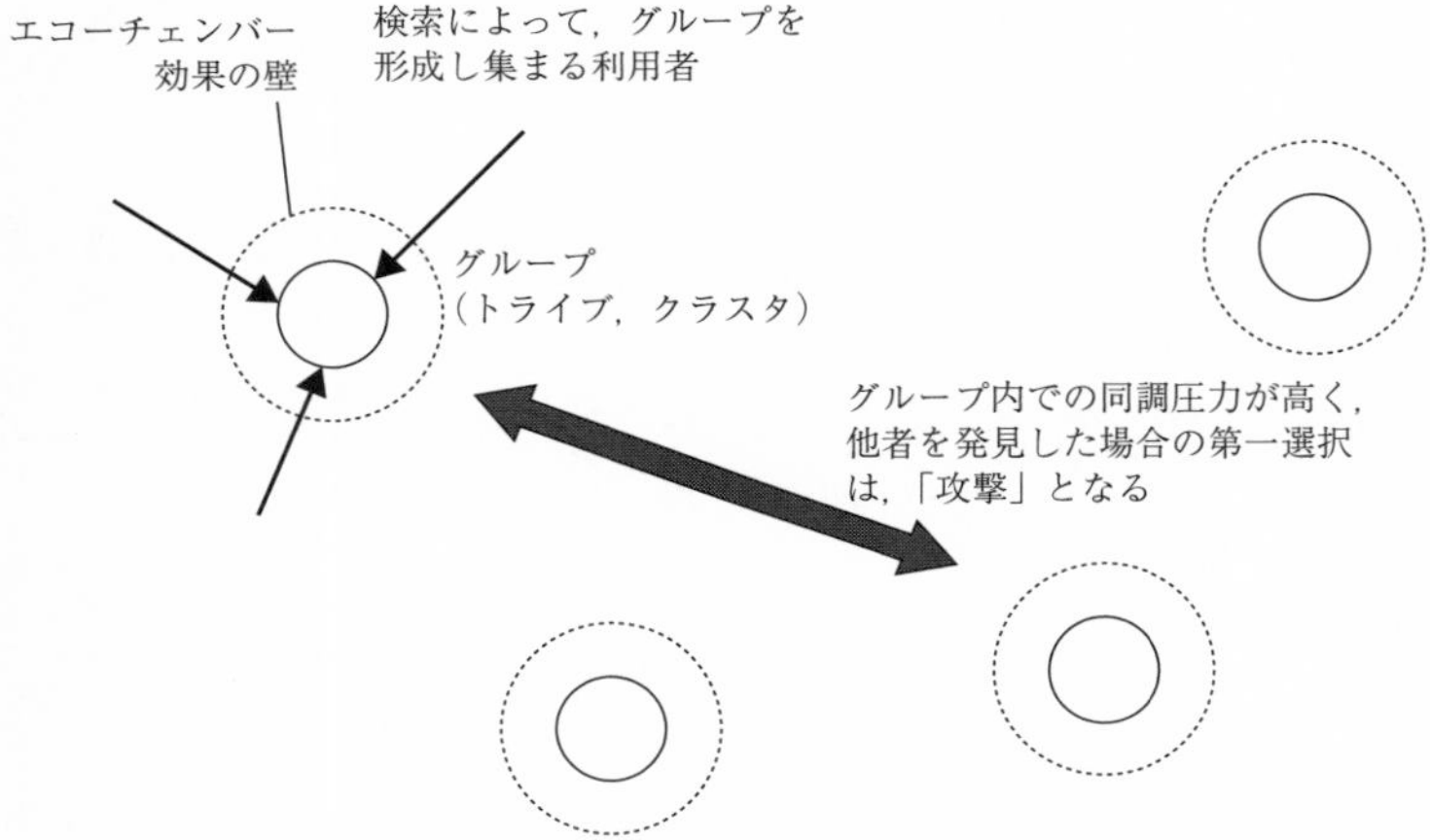
エコーチェンバー
効果の壁
検索によって，グループを
形成し集まる利用者
グループ
（トライブ，クラスタ）
グループ内での同調圧力が高く，
他者を発見した場合の第一選択
は，「攻撃」となる

図４－８　グループの成立とグループ間の関係

出典：筆者作成。

つかって諍いになることもあれば、ピンポンの存立基盤そのものが脆弱なので、沈まないように互いの存亡を懸けた争いになることもある。無数の正義が乱立する中で、自分の正しさを証明したければ、競争相手を叩き潰すのが最も効率が良く、合理的である（図４－８）。

ピンポンの数と種類は多くて、それは一見多様性が保たれているように思えるが、可視性が強いだけにピンポンの内部での同調圧力は強くなる。そんな中では、「いいね！」に直結する文章しか書けないし、「いいね！」してもらえる「いいね！」しか打てなくなる。

「いいね！」は、ＳＮＳにおいて、ほとんど通貨として機能している。通貨とは信用だ。「いいね！」されるコメント、「いいね！」されるユーザは信用されているのであり、それはネット上での権力や武力を持っていることに等しい。

為政者は昔から世界を可視化していた。為政者のもとには多くの情報が集中し、世界を俯瞰して捉えることが可能だった。そうした状況下で為政者は人々を数値として扱う。たくさん見えるがゆえに、そうとしてしか処理できなくなるのだ。

現代は、ＳＮＳが他者を可視化する技術を大衆に解放したと言えるだろう。市井の一利用者であっても、多くの他者と関わることができるが、大量に把握できる／さばけるがゆえに、一人一人の顔を見ることはできず、数字として、「いいね！」の数としてしか認知できなくなる。現代は、大衆もまた、他者を数値として捉える時代だ。

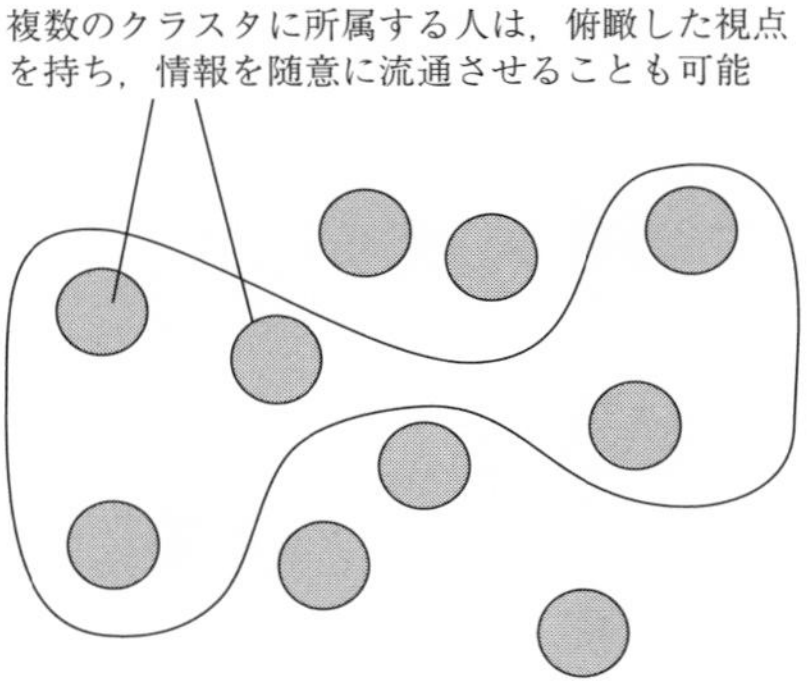
複数のクラスタに所属する人は，俯瞰した視点を持ち，情報を随意に流通させることも可能

図4－9　個々のクラスタは孤立しているが……
出典：筆者作成。

コミュニティをまたげる人とそうでない人

最も重要なのは、このプールを上手に泳いでピンポンからピンポンへ渡り歩く技術と意思を持つ人が存在することだ（図4-9）。多くの人は、自分向けにカスタマイズされたピンポンの中でぬくぬくとエコーチェンバーの心地よさに浸っているが、外界へこぎ出せる能力と気概を持つ人は、それぞれのピンポンが全く異なるものを信じていることを知っている。

彼らは、単一のピンポンの中で暮らす人よりも多くのことを知っており、その知っている事の中には、あるピンポンから別のピンポンへどういう情報を伝えれば、伝えられ

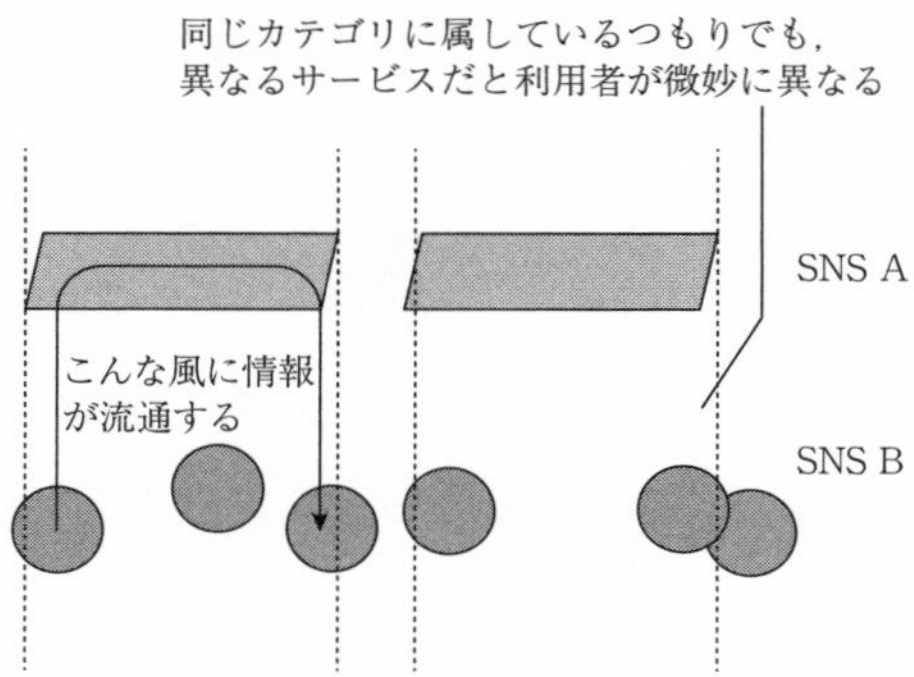
同じカテゴリに属しているつもりでも，
異なるサービスだと利用者が微妙に異なる
SNS A
SNS B
こんな風に情報
が流通する

図4-10　予期せぬ情報の越境
出典：筆者作成。

た人たちが怒るのか、すなわち炎上するのかも含まれている。そして、異なるドメインを結ぶ技術がたくさん用意されているのがネットなのだ。一つのＳＮＳの中には多くのピンポンが作られるが、複数のピンポンに所属することは、その意思さえあれば簡単である。特定のピンポンの中でしか消費されないと思って流通している情報を、どちらにも所属している人が別のピンポンへ伝えることは極めて容易だ。

異なるＳＮＳを使っても構わない。それぞれのＳＮＳは目的と利用者層が異なるので、同一の利用者が同一のカテゴリで利用するＳＮＳでもＡとＢでは構成されるピンポンが微妙に異なる（図4-10）。Ａのピンポンで流通した情報を、同じ話題を扱うＢのピンポンに受け渡すだけで炎上させられることも容易に考えられる。こうした構造を知って、扱える人が大きな意見形成力を持つに至る。この力は、瞬間風速的には、マスコミを凌駕するようなものにもなりうるのである。

パソコンやネットワークは、もともと個人の力を拡大することを企図して、構想・開発されたものだ。現状を鑑みるに、その目的は十分に達成されたと言えるだろう。しかし、その使い方の制御はうまく機能しているとは言いがたく、ヘゲモニーの拡大合戦に陥るか、極小の自分の王国を作ることに終始している。

3　人間関係のマイクロセル化は止まらない

見ることと見られないこと

現代は世界への開放と、極小の人間関係への引きこもりという極端な状況が、奇妙な同衾《どうきん》を続けている。人の好みを検知する技術は、ＩｏＴなどでますます網羅的になり、ＡＩによって洗練され、自分にとって快適な小さな王国を作ることが容易になった。この状況の進行は極端で、快適な状況を求めて属性や主義主張の細分化が進み、メンバーも後に続くものもなく、限界集落化しているグループもある。

私たちが心地良く暮らすには分断が必要なのだろうか？　個人の力を増幅するべく生み出されたネットは、クラスタとクラスタの間の強固な断絶を作った。分断こそ私たちが望むものだろうか。そうであれば、実社会も男子社会と女子社会にわけるのが正解だろうか？　少子化を加速させ、「個人の快適な生き方を追求した結果、こうなりました」と墓碑銘を記すことになるのが必然だろうか？

しかし、分断し尽くされたクラスタで自己愛に浸って生きて行くには、どうにも世界が見えすぎる。しかも、視界に入る世界はマウンティングとフィルタリングによってデコレーションされたキラキラの別世界である。そのからくりを理解してはいても、焦りを感じ、平均値や自分の手の届く水準よりもはるかに上の生活を目指してしまう人が後を絶たない。

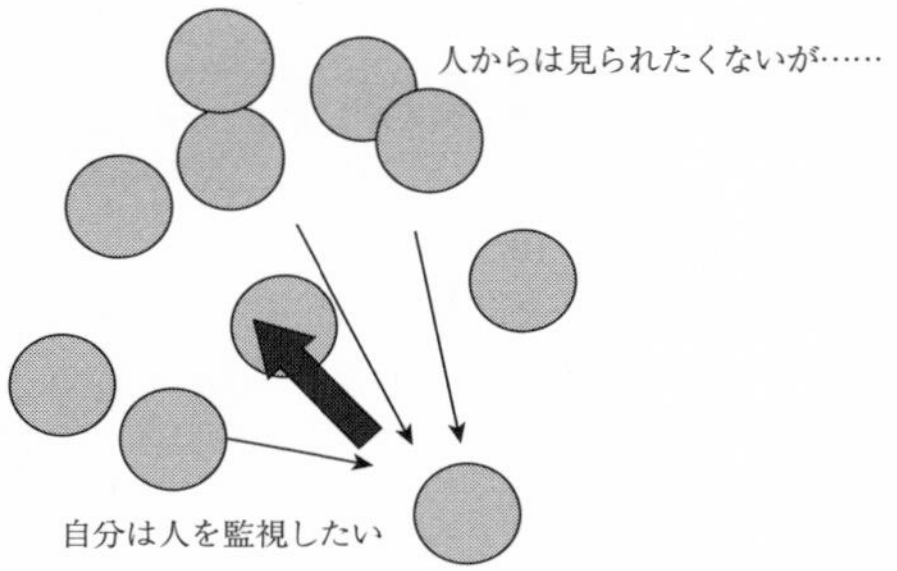
人からは見られたくないが……
自分は人を監視したい

図 4-11　可視化の非対称性への欲求
出典：筆者作成。

この傾向はこれからもずっと続くだろう。私たちは世界を見たい。晒されたくはないが、見たいのだ。古来より、監視社会は嫌だと考えられてきた。ところが、いざそれが手軽に叶えられるであろう技術が生み出されると、みんながみんな監視社会を待ち望んでいる。街頭に監視カメラがあれば、安心する。ドライブレコーダーがあれば、不意の事故でも証跡が残せる。通勤時にＧｏＰＲＯを動かしておけば、痴漢をつかまえられるかもしれないし、逆に冤罪にも対処できるかもしれない。実際にそういう有償サービスも登場した。インスタグラムでは、人がどのくらい幸せか、自分より得をしている人がいないかどうかチェックできる。能動的に自分の情報を発信すれば、望まない自己像ではなく、リプリゼンテーションしたい自分を世界の監視網に表現できるかもしれない。

誰も彼もが人を監視している。思えば、ベンサムのパノプティコンの時代から、自分の身をさらさずに人を監視する方法は、人々を魅了してきた（図4-11）。人を監視する快楽を追求するには、自分も監視されるリスクを負わなければならない。それを引き受けてもなお、人を監視したい欲望が抑えられないのがネット、ひいては現代であると言えるのだろう。

いかに自分を見せずに他人を見るかのマウンティングが、世界の各所で日々繰り広げられている。

こうした状況下では、実は確保されたはずだった多様性も、怪しいものになってくる。満足できる

「いいね！」の数を得るためには、個性（多様性）が必要だが、一方でなるべく多くのクラスタにまたがって訴求する内容、メッセージである必要がある。するとそこで表現される多様性はポジティブであることが必須なため、ポリティカルコレクトネスの枠の中で、笑顔の口角が一ミリか二ミリかという極小の差違を見つける多様性に陥っていく。そこに、「笑わない」という多様性が入る隙間はない。

意思表示の手段

多様性が叫ばれる以前から、世界は多様だったのかもしれない。みんな違うものを見て、自分にしかわからない地獄を抱え、それぞれの人生を勝手に生きていたことだろう。しかしそれは見えなかった。見えないから、一億層中流のような共同幻想に浸ることもできたのである。

ひとたびそれが見え始めると、自分と他人との（主にネガティブな）差違が嫌でも際立ってしまう。その中で、自分は自分と繭の中に収まる人もいるし、自分を大きく見せたくなる人も、他人の振る舞いを是正したくなる人もいるということだ。他人の振る舞いの是正に熱心な××ポリス（××の部分には、好きな単語を挿入するとよい）は、表層だけをなぞればとても狭量な態度に見える。しかし、道徳や倫理は集団で、かつ同時に獲得しないと大きな不公平感を生む。しかもそれは、おそらく達成できない。そう考えれば彼らに共感するのが難しい人も、彼らの態度を理解はできるだろう。言葉を変えれば、社会なんて変えられないという諦念と、ネットの力を活用すればそれが可能だという希望が、同居しているのである。

選挙制度は、特に若年層において、自分の意見を反映させる場としては失望し尽くされている。し

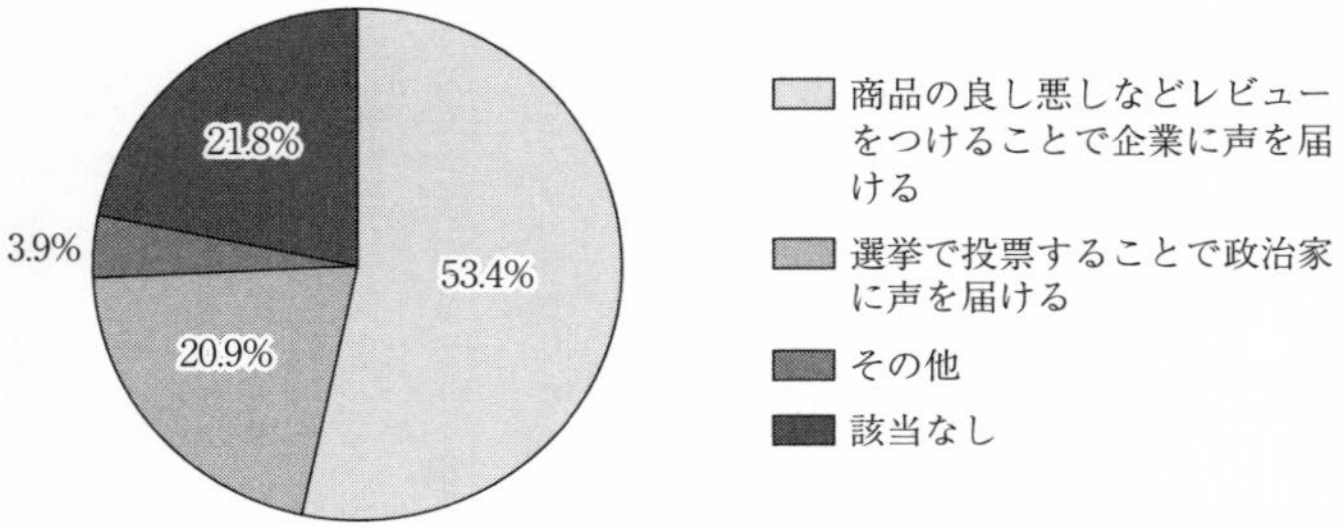

図 4 -12　自分の意見を社会に反映したい場合に，簡単で効果的だと思う手段

かし、それは自分の意見を反映させることを諦めることを意味しない。いまはもっと別のかたちで意見を表明し、行動することができる。

一時期、ハクティビズムという言葉がはやった。ハッキング活動を通じて政治的な主張を実現しようとするもので、アノニマスなどが代表例だ。アノニマスのように国をまたいだ大規模かつ犯罪性の強いものでなくても、こうした行動は草の根レベルで広がっている。悪い噂のある民間企業に対して、掲示板を誹謗で埋め尽くす、商品レビューをマイナス評価の海にする、悪意のある言葉と抱き合わせでの検索をくり返し、検索エンジンでの検索語提案を悪印象で汚染する。最初の筋道さえつけて、悪意のハブをつくってしまえば、あとはネットの構造が勝手にそこに人やアクセスを集めてくれる。その企業はなんらかの対応をしなければならなくなるだろう。これは、選挙などによらない、企業攻撃という名の直接民主主義であると言える。選挙などという迂遠なものに頼らなくても、自分の意思を通すことができるわけだ。

図4-12は二〇二〇年一一月にウェブ上のアンケートシステムを用いて、若年層の男女に自分の意見を社会に反映したい場合に簡単で効果的だと思う手段を問うた筆者の独自調査の結果である。標本数は三一六で性別による結果の差違はほとんど見られなかった。この結果も

先の仮説を支持している。

私たちはこのことを真剣に考えなければならないだろう。民主主義の政体下において、意見を表明する場はまず選挙であると考えられてきた。しかし、世代間格差などにより選挙制度が機能不全を起こしていると多くの人が信じているいま、別のルートで自分の意見を表明したり行動を起こしたりするケースが増えている。ＳＮＳや掲示板への書き込みは、時として単なる悪意の発露のように見えるが、新しい形での政治行動のスタイル、静かな革命なのかもしれない。

大きな力は監視される宿命にある。三権分立しかり、第四の権力であるマスコミしかり、相互監視と自己規制を繰り返してきた。ネットワークの持つ力がさらに増していくのであれば、ネットへの監視はさらに強まるのが自明である。ただし、それを監視する権力が同じネットワークの住民に与えられるかは微妙だ。監視の範囲と量、客観性を考慮すると、それが与えられる主体がＡＩになる可能性はとても高い。

第5章　新しいインターネットの構造と小さな信仰

1　意思決定の放棄

考えないことの気楽さ

これまでに、個人主義の台頭や多様性の浸透が拡大する様子を観察してきた。また、そこにどうインターネットがかかわってきたのかについても議論した。個人や多様性の尊重はある意味で国家とのせめぎ合いの歴史である。国家という一定の歴史観や価値観、言語、地政学的制約を押しつけてくる構造との対立、あるいは受容の中でこそ、個人の輪郭は明瞭に描写された。

他の人や他の国と関わるためには、多かれ少なかれ国家を媒介してアクセスしなければならないため、この構造はとても強固だった。「私は～国に所属している」という意識は、アイデンティティの根幹を成している。逆説的だが、個人を強く意識するためには、対立概念としての国家はとても重要である。

ところがインターネットとそのうえで展開されるＳＮＳがこの動線を変更した。これらの情報技術は、地理的な制約や国境を越えて人を結びつけることをきわめて容易にした。それまで、人々を束ねる属性は国を国たらしめるものに限定されていたが、趣味によるグループ、思想によるグループ、性癖によるグループなど、あらゆる属性によって細分化された人の集団が作られるようになった。このグループの中に葛藤はない。人々は安心して言説や体験、物品を消費することができる。きわめて幸せな状態といえるだろう。

しかし、せめぎ合いや葛藤がない環境におかれた人間は、本当に自分を強く保てるだろうか。外敵が明瞭になると国家が結束を強めるように、人間も価値観の相克が存在してはじめて、個人としての自分を意識できる。快適な空間は、自分の輪郭を希薄にする。

その是非の判断は、人生の基準を何に置くかによって一八〇度変わってくる。したがって、このような快適な空間を否定したいわけではない。快適な環境を確保したいと考えることは、人にとって自然な欲求で、合理的ですらある。しかし、この自然な欲求を追求していき、ある程度まで達成してみると、その結果もたらされるのは個人の希薄化かもしれないのである。

たとえば、意思決定はなかなかストレスのかかる作業だ。責任を伴うし、よりよい意思決定を行おうとすれば、膨大な事前知識や思考力の錬成を行わなければならない。意思決定は不快な作業であると言ってしまうこともできる。自己決定や意思決定が貴重だと考えたり、大好きであるというのは、こうしたバックグラウンドを幸運にも得ることができた一部のエリートに偏った資質であって、多くの人にとって意思決定は手間のかかるしんどい作業でしかない。

私がよくとりあげる例に映画『マトリックス』がある。一九九九年に公開されたキアヌ・リーブス主演の映画だが、表現されている内容はいまだ古さを感じさせない。『マトリックス』の世界では、人間はコンピュータを駆動させるための動力源として生かされている。人間はただ生かされているだけだ。しかし、コンピュータたちはその見返りとして、培養液の中で生かされている人間たちに極上の仮想現実を見せてくれる。

私がこの映画を見たのは学生時代のころだったが、そういう生活も悪くないなと感じたのを強烈に覚えている。というか、その状況を打開するために手を尽くし、何も知らずに培養されている人たちを起こしに来る、現実に戻しに来るネオ（主人公――キアヌ・リーブス）の行動が余計なお節介にしか思えなかったのだ。

ネオは（キアヌ・リーブスだしね）才能があって容姿も立派で、現実に戻ってもいいことがたくさんあるだろう。コンピュータに支配される人生なんてごめんだという、克己心も溢れるほど持っていた。しかし、残念ながら私はそれらのものを何一つ手にしていない。現実に戻ってもみじめな思いをするだけなのは、目に見えている。少なくとも、仮想世界での人生を上回るような経験をすることはまったく考えられない。そうであるならば、コンピュータに培養される人生がなぜいけないのか、と真剣に考えてしまった。だってそちらの方が明らかに快適なのだ。

例としてあげたのがSF映画たったので、絵空事のように感じるかもしれないが、『マトリックス』の簡易版のようなサービスはもう世界各地で実装されているし、現在も多くの企業がしのぎを削って開発を続けている。ポストモダン化が進展した現在、各個人が「快」を感じる自由と権利はとても尊重されている。そして、ニーズがあるのであれば、企業はそれをサービスとして提供し対価獲得の手段とすることを考える。快適さを感じさせる、つまり安全、楽、便利などの実現をするために、ＡＩが人間の判断に介入したり肩代わりしたりするケースは増え続けている。

この現象は二つの問題を孕んでいる。一つは、人間の自己決定権が怪しくなってくることである。私が子供の頃の話をしよう。小学校の先生はコンピュータ（まだ個人用が出はじめの頃だった。それはパソコンではなく、マイコンと呼ばれていた）が大変好きだったようで、「科学技術の発展は目覚ましいので、そのうち面倒な仕事はすべてコンピュータ（ＡＩとは言っていなかった）がやってくれるようになる。君たちは有意義な仕事に集中できるようになるぞ」と熱く語ってくれた。

いくつか単語を入れ替えれば、同じようなことを言う人をまだ見つけることができる。しかし、三〇年以上も時間が経ってこうした楽観論は旗色が悪くなったように思える。特に、機械学習や深層学習がバズワードとして流行して以降は、悲観的な論調が強くなった。単純作業の肩代わりは十分に機械に置き換えられたが、みんなが幸せで、休みが多くなり、高付加価値の仕事に集中し、給料が増えているかといえば、日本では逆のことばかりが起こっている。機械に仕事が取られないか不安で、サービス残業に費やす時間は高止まりし、みんなが高付加価値業務に移行できるわけでもなく、給料は目減りしている。

その間、ＡＩは高度化され、現実の用途に十分に役立つ水準にまで進歩した。グーグルは知的なゲームの中では最も難易度が高いものの一つといわれていた囲碁の対局を行うためのＡＩを作った。アルファ碁（Alpha Go）である。このアルファ碁が世界最強のプレイヤの一人、中国の柯潔《かけつ》に三戦全勝する様を見せられては、むしろ高度な仕事はＡＩにまかせて、人間は単純作業をした方がよいのでは、という気にもなる。

実際、ちょっとしたイレギュラーを伴う単純作業や、高度なコミュニケーションはまだ人間側に一日の長があるから、人に残された隙間仕事はその辺で発見すべきなのかもしれない。それはそれでいいのだ。自分より強くなってしまった将棋や囲碁のアプリケーションに対して、もう面白くないからとプレイをやめてしまうことも、人間同士で戦う楽しさがあるからAIがはるか高みに達してしまってなおヘボ将棋を続けていくことも、個人はそれを好きに選べるのだから。

失われる「間違える権利」

しかし、私たちはいつまで車を運転できるだろうか? 言うまでもなく、運転は危険を伴う作業である。運転し続ければ、どんなに運転技量が高い人でも、どんなに周到に準備して運転をはじめても、いつか事故に遭ってしまう可能性は否定できない。

それに対して、自動運転に特化して進化と学習を続けるAIはすでに実用段階に達しつつあり、早晩人間の運転技量を凌駕することになる。現実の社会に完全はありえないから、AIによる自動運転であっても未考慮事項の突然の生起や偶然、あるいはAI自体のアルゴリズムの不備、AIを搭載するプラットフォームの故障などが起こる可能性は決してゼロにはならない。

しかし、人間とAIの事故率を比較するならば、いつかは必ずAIの事故率が人間を下回り(いまでも実験的な環境下では下回っている)、その差は開いていく一方になるだろう。AIは人間のように疲労したり、集中が途切れたり、体調が悪くなったりすることはない。仮に事故を起こしたとしてもその原因はシステムにフィードバックされ、次には同じような事故を起こさないよう学習していく。いつまでも飲酒運転がなくならない人間とは大きく異なる。

こうした状況が進展するとき、私たちにいつまで運転の自由が許されるかは疑問である。二〇一六年の交通事故死者数は警察庁交通局交通企画課によれば、三九〇四人だ。絶対数は交通戦争などと呼ばれた一時代と比較すれば大幅に減少しているが、それでもＮＨＫホールに入りきらないくらいの人が毎年亡くなっているわけである。

車の運転を完全にＡＩに移行すると、この数を一〇〇人にできると言われたら、おそらく私たちは有効な反論を持ちえない。交通事故で直接亡くなる多くの人々と、それに数倍する親類縁者友人を救えるのであれば、車の運転はＡＩに任せることになるのは理の必然である。このとき、私たちは車を運転する自由を失う。車の運転を単に移動の手段と考えている人には喜ぶべき変化かもしれないが、運転そのものを楽しんでいた人たちにとっては大きな制限だ。

これまでにも、機械化やＯＡ化といった潮流があった。それらのムーブメントのときにも、人間から機械やシステムへと色々な仕事の移行がおこなわれたが、基本的には人間が楽になるために、「快」を感じるために行われるものだった。ＡＩによる自動運転も、最初は運転という「作業」を取り除き移動する、すなわち人間にとっての快を増進する目的で企図された。しかし、ＡＩのほうがよりよく運転作業をこなし、交通事故死という悲劇を減らせることが確定的になったとしたら、人間が自由に運転作業に戻ることはとても困難になるだろう。

いまでも、「自分は計算が好きで、楽しいから」といった理由で、レジでそろばんをはじくことは許されなくなっている。時間がかかるし、何よりその結果に不信感がある。レジにおける代金の計算が自動化されているのはコスト効率や時間効率を追求した結果だが、すでに社会的なコンセンサスになっている。そろばんによる代金の計算は、その正確性が社会的な合意水準に達していないと判断されるのだ。

同じことが車の運転にも起こる。いくら自分は運転がうまいからと主張しても、楽しみで運転しているからと訴えても、人から車を運転する自由は取り上げられることになるだろう。そして、どうしても運転したい人は、サーキットや何か新しい形での運転遊戯施設で、スポーツとして運転をすることになるだろう。最初は快を得るために、めんどうな意思決定やつまらない作業をＡＩに移管していたはずだったのに、いつの間にか安全性や倫理性の観点から、面白いこと楽しいことも取り上げられてしまうのだ。これは巷間に言われている「ＡＩによって仕事が奪われる」とは少し毛色が違う議論である。ＡＩによって仕事が奪われるのか？　という問に対して、私は楽観的に考えている。いままでにも色々な機械やシステムによって、人間より効率よく仕事を実行するしくみが作られてきた。

しかし、二〇一五年春に卒業した大学卒業者の就職率は文部科学省によれば七二・六％で、高水準を維持している。人間は食い扶持を確保するために、色々な仕事を作り出してきた。効率を考えれば、絶対にこの職種はいらないだろう（機械化した方がいいだろう）と思われるものがつくられ、維持されてきたのである。

いまだに学校のＰＴＡは電話連絡網を作り、ＬＩＮＥのメッセージ一つですむ事項を伝えるために緊急事態宣言下でも学校に集まる。ウェブサービスですぐにも置換できそうな入試願書受付には、誠意を見せるために未明から保護者が並ぶ学校すらある。現金自動支払機が登場したとき、銀行員の仕事がなくなるリスクが叫ばれたが、今でもとても忙しそうだ。

情報化で少し本業の作業が減ったとしても、それを管理するための各種マネジメントシステムが鳴り物入りで登場して、青天井に書類仕事を増やしている。

人間が余計な仕事を創発する能力は圧倒的で、この傾向はＡＩが導入された程度のことで変化することはないと考えられる。だから、日銭を稼ぐ手段としての仕事は、これからもずっと人のそばにあり続けるだろう。

しかし、ＡＩはもっと根源的なもの、たとえば移動する自由や思考する自由のような、人の核心の部分を奪っていくかもしれない。

たとえば、職業選択の自由は、憲法の第二二条で謳われたとても大切な権利だ。でも、学生さんに「素晴らしいマッチング精度を誇る就職活動ＡＩ」を提示して、これを使えばブラック企業に就職する確率や過労死する確率を限りなくゼロに近づけられるよと囁けば、多くの人が利用するであろう気配を感じる。

学生さんは長引く不況の中で育ってきて、経済的なリスクを負うことにナーバスになっている。両親がどれだけの負担をして自分を育ててくれたかも知っている。新卒での就職に失敗するとなかなか再チャレンジの機会がないといった環境にもさらされている。そのためとにかく失敗したくないと考えている学生さんはたくさんいる。

いまですら、教員や親に職業を決めて欲しいと思っているのに、失敗しないＡＩが出現したら迷うことなく自らの職業選択をそれに委ねるだろう。ＳＰＩや適正判定テストの結果に過剰に従ってしまう学生さんは多い。いまのところは、適正判定テストは人生をゆだねるほど正確ではないし、本当にこの結果で正しいだろうか、と思うような判定を出力してくるが、ＡＩによる適正判定が精度を上げていけば、いずれ職業選択はＡＩに決めてもらうものになったとしても、少しも不思議はない。

意思決定のブラックボックス化

このとき注意しなければならないのは、ＡＩによる結果の導出プロセスの不透明性である。そもそも深層学習などでは黒魔術という言葉が使われているくらい、その結果が導かれるプロセスは複雑さを増しており、良好な結果が得られても、どうしてそうなるのかはよくわからなくなっている。たとえば将棋や囲碁のプログラムは、人間のプロ棋士に勝ったが、棋理を明らかにしてくれたわけではない。強さを導き出すプロセスはブラックボックスで、どうしてそれがいい手なのかはわからない、ただ強いのである。強さは黙示されるだけで、中身の説明はない。

今後、このような事態に社会の各所で直面することになる。理由はよくわからないけれども、自分は判子屋になれば過労死もしないらしいし、ブラック労働もせずにすむらしい。であれば興味はなかったけれども判子屋になるか、といった事例はどんどん出てくる。メーカーがこの思考プロセスを公開することはなく、公開しようと思っても、そもそもメーカー自身もそれを知らないのだ。判定の手順は二重に隠蔽されている。問題はそこに恣意性が混入されるリスクを否定できないことだ。いまのところ、アルゴリズムは公正だと考えられている。グーグルやヤフーは検索エンジンを提供する企業だが、創業当時そのアプローチの仕方はまったく違っていた。グーグルは創業の当初から、人手を廃するからこそ、公平なランキングやリンク集を提供できると言い続けてきたが、第1章でみたように現実には決して公平であるとはいえない。

結果的にグーグルはヤフーを圧倒することになったが、ヤフーの人手でデータを吟味し入力するタイプの検索エンジンを凌駕できたのは、網羅性や即時性ばかりでなく、機械仕掛けのしくみに安心感があったためだ。人の主観や思い込みを排除するうえで、彼らは大きなアドバンテージを持っていた。しかし、こうしたサービスに依存する比重がとても大きくなってしまい、また依存する内容もウェブの検索から人生の大きな決断ごとになってみると、あらためてブラックボックス、黒魔術にそれを委ねてしまっていいのかという疑問が生じてくる。

しっかりしたＡＩサービスを提供できるようなプロバイダにそんな悪意はないよ、と考えるべきだろうか？　確かに悪意を持ってそのようなサービスを提供する主体はないかもしれない。

でも、たとえば、私は移動するときグーグル先生に頼りっぱなしである。地図を読むこと自体は子供の頃から好きだったのだが、どうにも最短距離で目的地に至るのが苦手だ。はじめての場所を訪れるとき、グーグルマップはなくてはならないサービスになっている。完全に依存していると言ってもいい。一方で、グーグル先生は私のヘルスデータも持っている。仮にグーグルが善意で、「この人は最近太り過ぎていてメタボリック街道を驀進しているから、健康のためにもっと歩いた方がいい」と考え、ちょっと遠回りの道を提案したらどうだろう。私は方向音痴だから、少し迂回路を通ったからと言ってそれに気づくとは思えない。そもそもこれは善意から出たことで、おそらく余分に歩かされた分、私はカロリーを消費することになりQｏＬは良好になるのである。全体として、私は得をしていると言っていい。しかしそこには、他人に人生を左右されているような気持ちの悪さがつきまとう。

就職活動の例で言うと、「この人は金魚屋さんにも小鳥屋さんにも同じ程度の適性を持っている。国全体を見渡したときに、金魚屋さんのほうが人手不足だから、適性診断テストの結果には『金魚屋至適』と印刷しよう」などとやられるかもしれない。誰も損をしていないし、国や地域のことを考えると全体としてはとてもよい判断なのである。

痴漢犯罪や、逆に痴漢の冤罪で捕まる人などは、ＡＩによる防犯システムや正誤判定を導入することで減少させることができるかもしれない。人間の上司にはいつまでも長時間労働の是正ができなくても、ＡＩなら何の忖度も配慮もなしにばっさりやってくれるかもしれない。この人と結婚すれば不幸せにならずにすむよ、と自信をもって判定してくれれば婚姻率も上昇するかもしれない。

近年の医療はインフォームドコンセントが原則になっている。患者に開かれた医療、透明性の高い医療という意味ではとても意義があるが、患者にとっては酷な制度であることも多いだろう。「すごく苦しむけれどもあと一年生きられる方法と、苦痛はほどほどであと三カ月で亡くなる方法がありますす」と言われて、憂いのない選択をする自信は自分にはない。ＡＩにすがりたくなるところだ。

このように、誰かに（この場合はＡＩに）意思決定を委ねることがだんだん当たり前になってくると、人はそのうち意思決定権そのものを手放してしまうかもしれない。だってＡＩのほうがうまくやってくれそうなのだ。間違いをおかして惨めな気持ちになることもないし、仮に間違ってもＡＩのせいにできる。すでに、私たちは将棋や囲碁でＡＩが人間の熟練者を超克する様を目の当たりにしてきた。

圧倒的な他者が存在するときに、それに頼らずに生活していくことは相当困難である。正しい答えが常に外部から与えられ続ける中で、人が考える意味、自分で考える意味は、再考されなければならないだろう。

システムへの権力の移譲

先ほどはハリウッド映画の例をあげたので、今度は日本のアニメを取り上げてみよう。二〇一二年の『PSYCHO-PASS』という作品は示唆に富んだものだった。現実の私たちよりも何段階か情報化が進んだ都市の形が描かれ、たとえば警ら業務などはドローンが行うようになっている。事故発生時にバリケードを構築するなど、やっている作業自体はエグいことが多いのだが、このドローンはゆるキャラのような見た目になっていて、作業のエグさを隠蔽する構造が描かれている。

この作品の白眉は、警官が持つ小銃（携帯型心理診断・鎮圧執行システム）がインテリジェント化されていることである。いま、私たちの交友関係がグラフ化、可視化されているように、この時代の人々は「犯罪係数」が可視化されており、犯罪をおかす蓋然性がどのくらいあるのかが数値でわかるようになっている。小銃はこの犯罪係数のセンサーと連動しており、閾値以上の犯罪係数を持った相手でなければそもそも起動・発砲することができない。犯罪係数が大きくなってくると威嚇・鎮圧用のノンリーサルモード、さらに大きくなると射殺可能なリーサルモードで使うことが可能になる。

未視聴の方のためにストーリーの詳細を説明することは控えるが、この犯罪係数を計測するセンサーに反応しない犯罪者の登場が物語のキーになっている。主人公は、まさに目の前で友人が殺されていくにもかかわらず、犯人を撃つことができないのである。もちろん、犯罪係数が基準値に満たず、小銃が起動しないからだ。小銃の使用をあきらめ、人間に残された最後の意思決定の砦として与えられたマニュアルの古銃を撃つことはできる状況だった。しかし、主人公にはそれができなかった。ＡＩの判定に自らの人生を委ねきっていたからだ。

このことは、人間の意思決定権にまつわる問いに、直接関わってくる。私たちに間違える自由や、間違える権利は与えられるだろうか。いままではそんなことは考えるまでもなかった。人生において、意思決定で間違いが混入するのは当たり前で、それを通して知的能力や人格が養われていくのだと無邪気に信じることができた。しかし、ひょっとしたら間違えないかもしれない、間違えるにしても自分よりはるかに間違いの確率が小さい主体が現れるとこの価値観は崩れていく。

間違えるか間違えないかで言えば、それは間違えない方がよい。激しい競争社会や厳しい環境問題が現前している現在、間違いを許容して人の成長を期待するような余裕は、会社にも学校にもない。間違えないことは、おそらく善なのだ。しかし、間違えないために、ＡＩにすべて決めてもらおう、意思決定権をＡＩに委譲してしまおうとなると、本当にそれでよいのか立ち止まって考えたくなる。『マトリックス』が示していたように、意思決定を放棄した人間は、本当に人間と呼んでよいか怪しい存在になり果てる。でも、それは相当に気持ちがよさそうな、楽で快適な生き方なのだ。

私はかなりの確度で、人の意思決定権がＡＩに移っていく未来が到来すると考えている。間違える権利や、間違える自由は、たとえば一部富裕層のみが享受するような、とても贅沢なものになるだろう。先に『マトリックス』の議論で表明したように、個人的にはそれでまったく構わない。私は間違いが多い人間だし、人生が辛いなあとも思ってるので、色々なことをAIが決めてくれるのであれば自分から主体性が奪われても、むしろウエルカムだ。でも、人類全体がそうなってよいかは、(たとえその方向に進むとしても)きちんとした議論を行う必要があるだろう。

議論を整理するために再度述べるが、ポストモダン化が進展した現在、各人が「快」を感じる自由と権利はとても尊重されている。そして、当然のことながら、企業はそこに需要があれば、サービスを開発して提供し対価を獲得する。「快」を感じさせる(安全、楽、便利などの実現)ために、AIが人間の判断を肩代わりするケースは増え続けていくだろう。

判断、意思決定は人間行動の基本であり、苦しかったり難しかったりすることはあっても、人間固有の価値ある行いと考えられてきた。しかし、人間が判断を、この貴重な権利を手放すことで、安全や便利を実現できるとするならば、それは正しいことなのか、人間にとって価値あることなのか。どんな決断を下すにせよ、それを「いつの間にか決まってしまった」形で処理させてはならない。人間はいつの間にか、「快」を得るために何かを手放すことに慣れてしまった。安全を得るために監視カメラは増え続けている。そこにプライバシーの問題が生じるかもしれないことは承知していても、直近で得られる安心や安全という快の前に、議論されることはほとんどない。

2　コンテンツツーリズムと小さな信仰

ポストモダン社会において、一人一人が小さな世界を持つこと、小さな正義を持つこと、小さな信仰を持つことについて考えてみたい。事例として取り上げるのは聖地巡礼である。

聖地巡礼とは

聖地巡礼については、すでにご存じの方が多いと思う。大きくはコンテンツツーリズムの範疇に入る現象で、コンテンツツーリズムとは文学作品や映画の舞台やゆかりの地、原作者のふるさとの観光に行くような旅行の形態である。その中でも、特にアニメやゲーム、ライトノベルに依拠しているものを、特に聖地巡礼と呼んで区別することが多い。バズった用語にはどうしてもついてまわることだが、普及と拡大の過程で色々な言い方や捉えられ方をしたために、意味が拡散している。ここでは、右記の定義を採用しておく。

聖地巡礼は二〇〇七年のアニメ「らき☆すた」（聖地は埼玉県の鷲宮神社）の頃から知られるようになり、二〇一二年の「ガールズ&パンツァー」（聖地は茨城県大洗）で全国区の知名度を得た。二〇一六年には流行語大賞も獲得している。この流行語は誰が受賞者になるのかが注目されたが、聖地巡礼アプリを展開したディップ株式会社が受賞者として登壇した。私自身も、大垣市の聖地巡礼案件である『聲の形』でディップ株式会社と協力して調査イベントを行ったことがあるため、関係者の方のご苦労が報われたと喜んだ記憶がある。

聖地巡礼といえば、そもそも宗教において重要な意味を持つ場所や建築物、聖遺物を尋ねて回る行為のことだ。そこには厳密なプロトコルがある。その聖地巡礼から転じて、アニメに登場した場所に思い入れを持ち、特別な体験を期待して訪れることに、同じ言葉を使うようになった。

「聖地巡礼」の用法には批判もあって、宗教儀礼とは全く異なる、アニメを起点とした行動に、宗教儀礼と同じ表現を使うことに対して眉をひそめる人も多い。そうでなくても、両者は基本的に別物だと理解するのが一般的だ。だが、本当にそうだろうか？　私は、少なくとも現時点では、宗教上の聖地巡礼とアニメの聖地巡礼にはほとんど違いがないと考えている。コンテンツツーリズム、その中でもアニメの影響を受けたものを聖地巡礼と呼んだ人のセンスは秀逸だった。

宗教儀礼としての聖地巡礼は、いまでもそんなに聖なるものだろうか。私は違うと考えている。たとえば、キリスト教はどうだろうか。私は前任校がミッション系だった関係で洗礼を受けているが、いま教会に礼拝に来る人たちの中に、純粋にイエスの復活を信じている人がどれだけいるかといえば、ほとんどの人がそうではないと思う。

宗教こそ第1章でみた「大きな物語」である。個人主義と多様化の浸透、科学の発展によって、その教義はゆらいでいる。科学的な思考が導入された瞬間に、奇蹟はプロモーションやマーケティング戦略に還元されてしまう。出エジプト記がいくら「天からパンを降らせる」と記しても、科学の知識が「そんなことはありえない」と判断する。現代の宗教体験とはそのようなものだ。

キリスト教以外の宗教もそうだ。たとえば、仏教で仏舎利は有り難いものとされている。仏舎利塔を巡礼することもある。しかし、仏舎利がずいぶんたくさんあることは、衆目が認める事実だ。フェルミ推計などを使うまでもなく、人間の骨の総量を遙かに超える仏舎利が流通していると考えられる。一〇〇〇年前だったら、聖地巡礼は本当に聖なる行いだったのかもしれない。しかし、世界を説明する体系は時代が下るほどに増え、宗教以外にも、たとえば科学が、世界がどのように作られたか、どのようなありようなのかを説明できるようになった。そして現時点では、科学の方がもっともらしく世界を説明できている。

そうした社会では、厳密に決められたプロトコルにしたがって行われる宗教上の聖地巡礼も、次第に変質していく。宗教的な権威が、この手順で巡礼を行わなければ意味がないと言っても、権威自体、教会自体の信頼が揺らいでいるのである。プロトコルは解体され、利用者によって再構成されることになる。

身近なところで考えてみても、四国八十八箇所巡礼で、順打ちや、ご詠歌の詠唱、納経などのプロトコルを、いまの参拝客が遵守しているとは考えにくい。交通機関を積極的に活用し、観光や癒やし、自分探しを目的としたそれは、宗教儀式として厳密に定められた当初の聖地巡礼とは異なるものに変質しているだろう。巡礼者は写真を撮り、ＳＮＳにアップして、巡礼中の自分をアピールする。「いいね！」の応酬や短いメッセージでのコミュニケーションが目的化している。このコミュニケーションは、ときにはネットを介さずに直接行われることもある。巡礼中の巡礼者同士は活発なコミュニケーションを行う。それが目当てである巡礼者も少なくない。

ここまでで述べたように、現代はコミュニケーションコストが高い。多くの人がコミュニケーションの場から退出していくのは、そのコストを引き受けるのがつらいからである。しかし、コミュニケーションを諦めたわけではない。彼ら／彼女らはできればコミュニケーションをしたいと考えている。コミュニケーションは皆が渇望してやまない承認欲求の源である。言葉を換えれば、自分にとって都合のいいコミュニケーションだけを望んでやまないのだ。

それが自尊心を満たし、自分を傷つけないものであれば、コミュニケーションは楽しい。聖地巡礼はその場として機能している。ヴァーチャルでなくリアルの世界で、遠隔地に足を運ぶことは、時間も金銭も要求する。聖地巡礼者はそれを支払った人で、SNSが日々行っているようなフィルタリングを通過した人だと言える。そうした人々が集まれば、嗜好や性格が合う可能性は高い。

本来、宗教主体が定めたり推奨したりしている巡礼ルートではなく、独自に定めた別のルートで巡礼行動をおこしたり、必ずしもその宗教施設や聖遺物の背景になっている宗教の信者でない人が巡礼行動をしたり、さまざまな乗り物を乗り継いだり、宗教主体が定めたものとは異なる事物を拝んだりするこれは、個人による小さな信仰の獲得、宗教の二次創作と呼んで差し支えないだろう。

宗教の二次創作

二次創作こそはこの現象のキーワードである。この本の中で、大きな物語の解体は何度も説明したが、宗教こそ大きな物語の側に属し、その礎を築きあげてきた存在である。現代において、まさに宗教はそのあり方の変容を余儀なくされていると言っていいだろう。

大きな物語が解体されてしまったのであれば、それに依拠して生きていた人々は自分の身の丈に見合った信仰の形を作りあげていかなければならない。価値観も信条も異なる人々がふつうに混じり合って生活する社会で何かを信じるのであれば、信じるものは自分で（ルルーシュのように）作りあげるしかない。そして、自分で作りあげた信仰は、宗教主体が与えてくれる信仰形態と同等以上の意味を持つことになる。

宗教の権威は失墜し、どんな手法で信仰を形成し信者を獲得してきたのかは、白日の下にさらされている。その手法を援用して、自分だけの強固な信仰を作ることは難しいことではなくなった。個人であっても、かなりそれらしい教義や信仰に必要な物語を作ることができる。これは宗教におけるシミュラクルであり、二次創作である。大きな物語の失墜という事件に対して、末端消費者が取りうる一つの態度だ。そしてそれは、猥雑なようでも生命力に満ちたものである。大きな物語が崩壊したことを嘆き悲しむのではなく、そんな状況下でも前向きに生きていくために信じるものを作るしたたかさを見出すことができる。宗教の失墜の一因を作った科学技術が、これを可能にしたとも言える。

サブカルチャーの文脈で語られる二次創作も、同じ構造を持っている。先述のとおり、最初にこの現象に対して「聖地巡礼」という語を冠した人の感覚はとても研ぎ澄まされて、正しく本質をとらえていたと考える。こちらの「聖地巡礼」も、混沌とした時代において何か信じるものをつくりたい、身近に感じたい、好きなものの近くで儀礼的行動をとって安心したいという、健やかな生への欲求が表出したものだろう。

科学技術、情報技術の発達で、二次創作をすることのハードルはとても下がった。一部の才能ある人しか作ることができなかった絵や音楽や動画が、さほどの修練を経ずに作成可能になった。二次創作のベースとなる素材も、データベース化が進んだ。とはいえ、全員が絵を描き、動画を作成するわけではない。それぞれに作りたいものの好みが異なるし、技量において向き不向きもある。何かを作りたい人たちの中に、信仰形態を作りたいと考える人たち、信仰形態を作ることが得意な人たちがいて、それが多くの人の賛同を得てかたちを成したのが、「聖地巡礼」だと考えられる。典拠としているオリジナルが宗教儀礼であるかアニメであるかの違いはあれど、現時点におけるこの二つの現象は同根の双葉だ。

大きな物語が潰えてなお、人間はやはり物語を通してしか生きる意味や生活する価値を見出せない。人が依存する物語は政治や文学や宗教で、これらは衰退しつつも欲求され続ける。いまや物語としての信頼性は、物質の物語である物理学や化学、お金の物語である経済学のほうがずっと高くなっているが、それでも政治や文学や宗教は求められる。

もちろん、これらも所詮幻想に過ぎない。ある政治体制がよいと信じる、宗教的な秘蹟を信じる、と決めることによって、決めた成員だけが見ることができる共同幻想だ。この幻想は見る人の数が多かったので、過去には大きな物語として成立したのである。

みんなの共同幻想としての大きな物語がもう存在しえないのであれば（ある宗教や政治体制をマジョリティに対して押しつけるような手法は、もう取りようがない。多くの人との共通理解に基づかないこれらは、当然従来のそれとはあり方が異なってくる）、小さなトライブの中で作る。自分たちで作ったものの正当性に不安があるならば、他人のそれを貶し、攻撃する。こうした現象を経て少しずつ、互いが作った小さな信仰ともいうべきこれらのシミュラクルを容認しあう、あるいは無視しあう土壌が形成されつつあり、その最初の萌芽が「聖地巡礼」などの形をまとって出現していると考えられる。

「聖地巡礼」こそ小さな信仰の最たるもので、アニメに登場したからという理由だけで、何の変哲もない歩道橋や欄干が聖遺物になってしまう（もっとも、古典的な宗教の聖遺物ももとをただせば大同小異ではある）。これは、別のトライブに属する人にとってはどうでもいい話で、頭から否定してかかってもよい現象である。

しかし、経済的な利得を得たいという背景はあるにしても、この現象に対する意外に好意的な受け止め方や、一緒に楽しんでみようかという地域の態度には、多様性や包摂に対する希望が確かに存在している。それぞれの物語を生きるそれぞれの人生に受容的でいられるかどうかは、今後の人類の方向性を決めるほどに重要な事項と考えられるが、少しずつその下地が整っているように見えるのだ。

もう少し言えば、いままでもこうした多様性は社会の中に確かに存在していた。LGBTなどがいまはじまった現象ではないことは、中学生でも承知している。しかし、国家や宗教の物語に飲み込まれ、私たち社会の末端構成員にはなかなか可視化されなかった。自ら可視化しようと試みても、手段も限られていた。情報技術がそれを可能にし、いまだ多くのケースで可視化による弊害（マウンティング、ハラスメント、炎上、妬み嫉み、××ポリス）は横行しているが、ついにはこれを許容できる、少なくとも可視化が常態化し他人の行動を見ることにも飽きて、やがて気にならなくなる瞬間が来るのかもしれない。聖地巡礼（の二次創作）というきわめて現代的な、しかし極小の趣味が盛り上がり、大多数のそれにまったく興味がない人たちが受容したり無関心を貫く現状は、その小さな萌芽かもしれないのだ。

明治神宮の事例

明治神宮の例を見てみよう。このような事例は全国各地で観察することができるが、ここで取り上げるのは単に自宅に近くてよく観察していたからだ。書籍として最初に取り上げたのは、おそらく岡本（二〇一五）だと思う。

　明治神宮は、初詣に数百万人が集まる大規模な神社である。この神社を訪れる参拝客の動線が、一時期大幅に変動した。それがどのような形態の神社であれ、神社に参拝に行けば、参拝客は御社殿・神楽殿を参ることになる。しかし、南参道からのぼって、左へ折れていく人が相当数いたのである。この参拝客の目的は清正井《きよまさのいど》（図5−1）であった。加藤清正が掘ったとされる井戸である。

図5−1　清正井
出典：明治神宮ウェブサイト（http://www.meijijingu.or.jp/midokoro/3.html）。

　重要な文化財であり、明治神宮もそのウェブサイトなどの案内で、神社の見所の一つとして紹介している。したがって、ここを参拝するのは間違いではない。しかし、御社殿に赴かずに、清正井を詣でて、写真を撮り、ＳＮＳにアップし、そして帰って行く参拝者を見送るのは、明治神宮としては不本意なことだろう。

　清正井の参拝客は、この神社にはこの祭神が祀ってあるから、この手順で拝むべきという、神社が定めたプロトコルは無視して、自分やコミュニティが創作した小さな信仰に従って、清正井を参拝していると考えられる。ここで創られた小さな信仰は、独自ではあっても、でたらめではない。

　近代化によって、宗教が信者に施してきたしかけは分析され、可視化された。東浩紀がデータベース消費と呼んだ現象は、宗教においても観察することができる。参拝客は、みなが知見を蓄積し整理することで整備されたデータベースから、自分が望むもの、自分の心地いいもの、自分の価値観に合うものだけを抜き出してパッケージにし、小さな信仰を創作する。長い時間をかけて作られたデータベースは、とても高い精度に達している。そのため、よほど読み出し方を誤らない限り、小さな信仰は破綻した見た目にはならない。これは、数多の新興宗教についても同じことが言える。我流でありながら、奇妙に宗教的な約束事が整った独自信仰が二次創作されるのである。

商品が背景に持つもの

データベース消費は、この考え方におけるキーになる概念である。聖地巡礼に限らずインターネット上で起こっている現象を読み解くのに、きわめて効果的な理論であるので、解説しておきたい。データベース消費は、東浩紀が提唱した理論体系の一部であるが、ここで述べることは私が独自に拡張した部分がある。したがって、解釈や作図の誤りは筆者に責任がある。詳しくは、東氏の著作、とくに『動物化するポストモダン』を参照されたい。

大きな物語におけるアニメの消費構造を考えよう（図5-2）。書籍やＤＶＤを購入する場面を思い浮かべて欲しい。利用者は、書籍やＤＶＤに対してお金を払うが、必ずしも書籍やＤＶＤそのものを欲しているわけではない。本当に手に入れたいと求めているのは、キャラクタであったり、設定であったり、その世界における雰囲気や思想である。便利な言葉でまとめてしまえば、「世界観」だ。利用者の目的はこの世界観に浸り、楽しむことである。

しかし、世界観を買ってくることは難しい。世界観をそのまま商品にするのは、メディアや情報技術が発達したいまでも不可能だ。そこで、この世界観からキャラクタやデザインを抽出して、書籍や

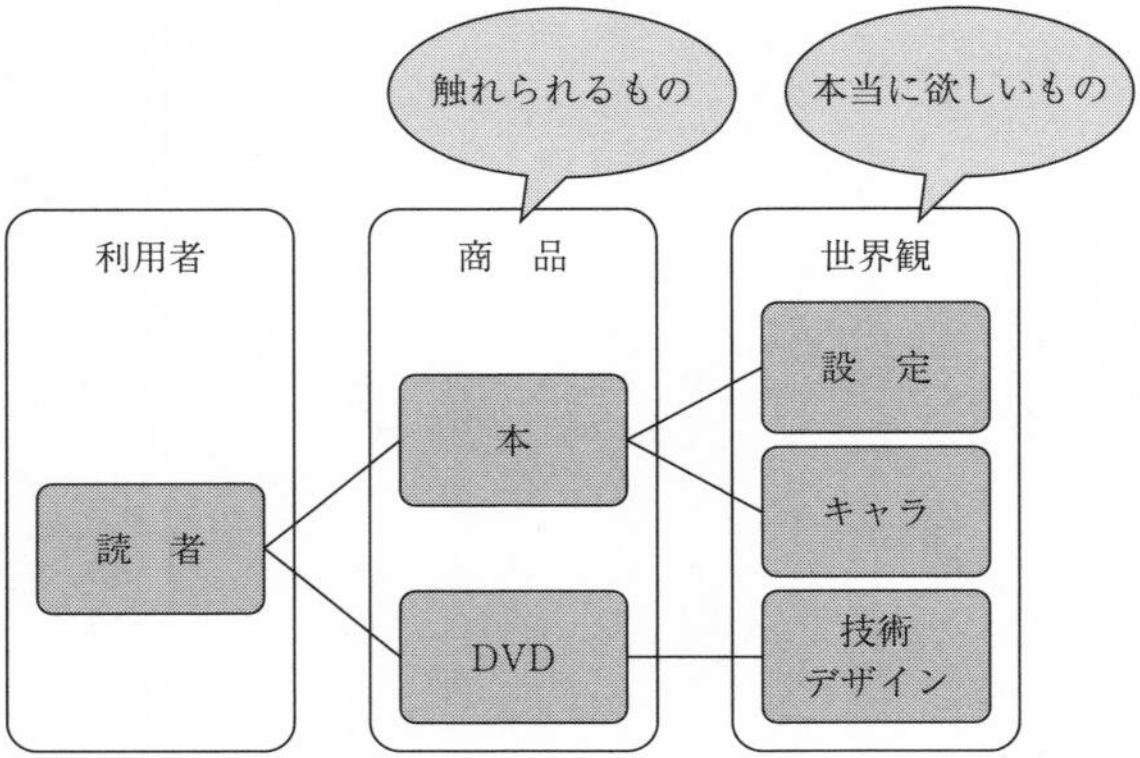

図5－2　「大きな物語」型の消費構造（サブカルチャー）
出典：筆者作成。

ＤＶＤに落とし込む。これは商品として流通させやすい。販売も消費も容易に行うことができる。

利用者がこうした商品に完全に満足していたわけではない。特定のキャラだけを消費したい、書籍で語られたものと異なるシナリオを消費したいという欲望や不満は常にあった。しかし、いくら妄想したところで、それらは素人に容易に作れるようなものではなく、サプライヤーによって与えられた書籍やＤＶＤを消費するしかなかった。書籍やＤＶＤは特権的な地位を占め、それを作ることができる作家やクリエイターは大きな影響力を持っていた。

だが、情報技術の発展がこの状況を覆した。デジタルのテクノロジーは、文章やイラスト、動画の制作をプロだけのものから、素人にもできるものに解放した。選ばれた才能や巨大な資本、自由な時間を持っている者だけがこれらを制作していた時代は終わり、突出した技術を持たないアマチュアでも、週末などの限られた時間でそれなりの質を保った作品を生み出せるよう

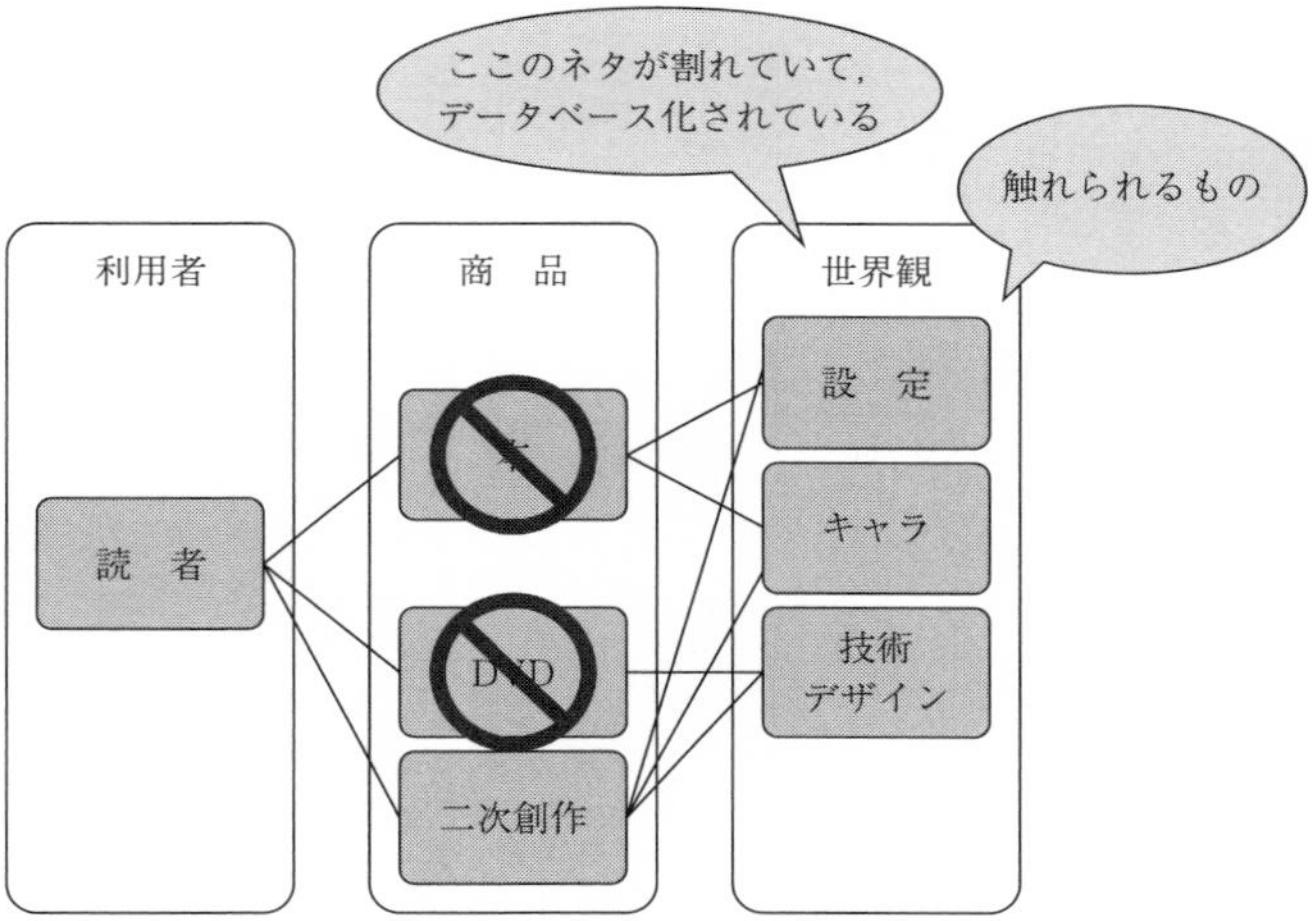

図5-3　ポストモダン型の消費構造（サブカルチャー）
出典：筆者作成。

になった。

大量に発生した「作れる素人」は、膨大な量の作品群を生み出し、そのかなりの部分が二次創作市場へと流れ込んだ。二次創作は制作され続け、それが蓄積され愛読されることで、さらに制作者を増やした。彼ら／彼女らのこの行動は、巨大なアニメのデータベースを作る行動に他ならなかった。プロの制作者が自らの作品制作の拠り所として秘していた、あるいは暗黙知であるために取り出せなかった作品制作の要点や技術は分析され、可視化された（図5-3）。何がよいサブカルチャー作品を成立させていたのか、ネタが割れたのである。

すると、プロが作った書籍やDVDなどの商品を購入しない利用者も現れる。触れたいと望んでいたキャラクタや設定に、直接アクセスし、直接これを消費したり、自分で書き換えることができるようになったのだ。お仕着せの商品より、こちらの方が楽しいと感じるのは決して不思議なことではない。キャラクタの造形に興味があるなら、書籍を購入して一点しかない挿絵を眺めるより、同人として制作されたイラストやコミック、フィギュアを購入した方が、自らの欲求を満たせるかもしれない。

オリジナルの特権性の剥奪

データベースに直接アクセスできるなら、新たな設定を自分で追加することも可能である。それは、時として作品を消費することよりも、利用者に大きな喜びを与える。ことによると、公式コンテンツがそれを参照して、オリジナルコンテンツに取り込むこともある。たとえばガンダムでは、非公式のコンテンツで初めて現れた設定や年表が、公式作品の中に取り込まれることがある。それが、ガンダムの世界観を手厚く発展させてきた。

近年では、このフィードバック機構は、さらによく機能している。ガンダムの場合はフィードバックはまだしもプロやそれに近い者の手で行われてきたが、『艦隊これくしょん』になると市井の利用者が担い手となった。もちろんこれは、ウィキペディアなどの情報技術の発展と無関係ではない。

公の立場である艦隊これくしょん運営の説明には、正規空母赤城が大食いだなどとどこにも記されてはいない。しかし、ゲーム中における資源消費量の多さに印象づけられた利用者は、大食いを赤城の属性と見なし、それに準拠して多くの二次創作コンテンツが作られた。それが公式コンテンツに還流し、オリジナルの赤城も大食いキャラへと変貌した。それを受けて飲食店とのコラボレーションが積極的に行われている。

末端利用者であっても、公式の設定を上書きし、公式コンテンツに影響を及ぼすことが可能になったのである。個人主義が志向され、それに呼応するように発展した情報技術が、個人の力を強化・拡張したよい例である。多様化が進み、従来型のサプライヤーが示したただ一つのシナリオを、皆がありがたがって消費する時代は終わった。人々の好みは多用である。公式に示されたシナリオが気にくわない利用者もいるだろう。であれば、自分好みのSS（サイドストーリー）を作ってしまえばよい。

末端利用者が執筆した小説やイラストを掲載するサービスも多数定着している。場合によっては、公式コンテンツよりも多くの人に消費されている小説やイラストもある。私もそうであるし、出版社に勤務する編集者も、作家やイラストレータを探すときに、ピクシブなどのサービスにアップされている作品を手がかりにすることが増えた。

大きな物語が機能している時代であれば、これらはあくまでも公式コンテンツに対する補完であって、公式コンテンツが絶対的に尊ばれ（たとえば、他人の手によるシャーロック・ホームズは多数執筆されたが、コナン・ドイルの著した長編四、短編五六の聖典は特別な地位を占め続けた）、SSは素人の手慰みでしかなかった。

しかし、情報技術の進歩や流通環境の整備で、非公式のSSは質量ともに拡大し、公式同様の影響力を持つものの登場に至ったのである。すると、作画や執筆をせず、ただ消費するだけのファンにも変化が生じる。そのコンテンツのファンではあるが、公式コンテンツは見たことがなく、同人作品だけを消費する利用者が現れたのだ。

非公式なコンテンツの数が増え、質が向上し、それを消費するファンが増加すると、公式コンテン

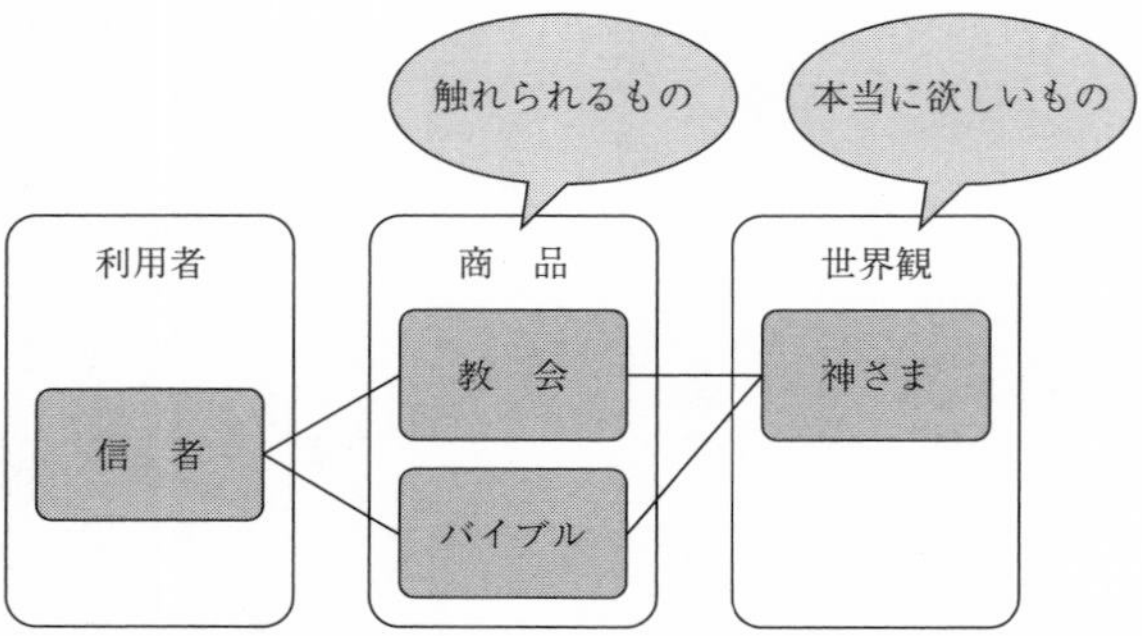

図５－４　「大きな物語」型の消費構造（宗教）
出典：筆者作成。

ツの唯一性や絶対性はゆらいでいく。公式コンテンツの位置づけが、多数ある非公式を含んだ作品の一部に後退するのである。プロの作り手や、公式コンテンツの権威が低下すると言い換えてもよい。

世界観の直接消費

同じことは、世界のあちこちで起こっている。本章ではその例として聖地巡礼に注目したのである。今度は宗教の聖地巡礼について考えてみよう。聖地巡礼において、利用者は信者である（図5-4）。この信者が本当に触れたいと望んでいるのは、神さまだ。しかし、多くの信者にとって神さまは、直接触れることができないコンテンツである。もしも（アッシジのフランチェスコのように）それができる人は聖人として序せられ、運営側の人間になるだろう。だから、司祭や牧師が一般の人々にもわかりやすく、消費しやすい商品として教会や聖典を作る。これらのコンテンツは、一般人が理解できるように、触れられるように作られている。神さまを直接消費することができない信者は、サービスもしくは商品として、これらにお金を払うである。消費の構造はライトノベルを記した書籍や、アニメのＤＶＤと同じである。

宗教の分野にも科学の発展や個人主義の浸透は、同じように作用した。神さまに直接触れたいと考える利用者には、直接触れられないことに対する不満が堆積する。すると、中間項を形成するサービスや商品へ疑いの目が向けられる。この場合のサービスや商品とは、教会や司祭であり、「教会はほんとうに神の言葉を代弁しているのか」「司祭はわれわれから搾取しているのではないだろうか」といった疑いである。

欧州で中世に行われた宗教改革は、神さまに直接触れるため、それを阻む中間項である教会を中抜きした行為である。中間に位置するサービスや商品は、社会システムや情報技術が洗練されると中抜きが進む。アマゾンの台頭によって書籍の取次が力をなくした現象と同様の構造だ。個人主義が歴史上類を見ないほど発展した時代と並走して、インターネットという技術が選ばれ、洗練され続けたことと、同じメカニズムであると考えてよい。

従来、個人と世界は直接結ばれるものではなかった。そもそも世界が何なのか、どういった形をしているのかも、可視化されていなかった。個人が世界を想像し、アクセスするためには、家族や学校や地域や国が必要で、これらが折り重なることによって世界を実感のあるものとして感じ、働きかけることができたのである。個人の想像力はそれほど大きなものではなく、中間項による個人と世界との橋渡しが必須だったのだ。

いまや人はこうした中間項抜きで、世界と直結できるようになった。インターネットが明らかにした、もしくは形作った世界の実相とは、ウェブやSNSに蓄積された膨大な量の情報であり、その背後にいる個人だった。私たちはこれらに、家族や学校や地域の助けを借りずにアクセスできるようになったのだ。

しかし、中抜き後の世界は、怖い場所でもある。いままではちょっとした失敗は、中間項が緩衝材となって、私たち個人に致命傷を与えないシステムが機能していた。コミュニティの中でやらかしてしまっても、雷親父や青年会に大目玉を食らってそれでみそぎをすませることができた。中間項は個人を束縛し、搾取するものであると同時に、個人を守るものでもあった。

これらが取り払われると、自分と世界の間にはどんな緩衝材もなくなる。コンビニや蕎麦屋で不始末をしでかしたとき、自分の両親がそれを知らなくても、情報はネットワークを通して拡散され、BBCやCNNが報道しているかもしれない。中抜きが進んだ後の世界は、自由だが、個人が世界と直接対峙しなければならない、多くの人にとって勇気を試される場所だ。少なくない若年層の利用者が、セカイ系と呼ばれる個人と世界が直結する構造を持つシナリオや世界観のコンテンツを消費したのは、こうした社会の変化に適応するための行動だったと私は考えている。ブレグジットもトランプ現象も異世界転生の流行も、グローバリゼーションへの反応という意味では同根である。

サブカルチャーと同様に宗教においても、神さまを神さまらしく構成し、保ってきた要素のネタが割れたのである。「世界観」のレイヤは可視化され、白日のもとに晒されてしまった。神さまを神さまたらしめるものがなんであるかが分析され、データベース化されれば、これまでの信仰体系に組み込まれなくても、宗教的権威に帰属しなくても、自分だけの私的な信仰を作り上げられるようになる

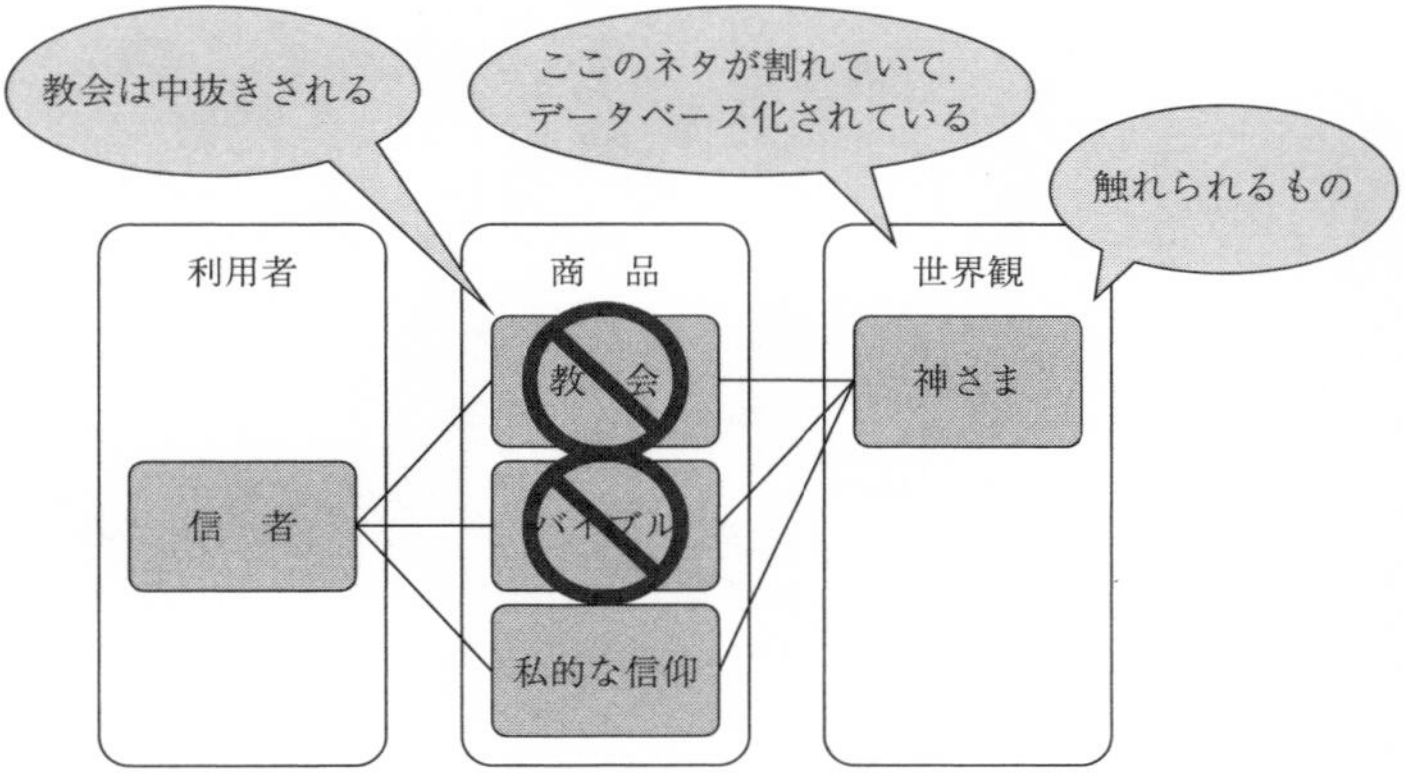

図5－5　ポストモダン型の消費構造（宗教）
出典：筆者作成。

（図5―5）。宗教が担ってきた「世界の説明」は、いまや発展した科学の説明と相反し、矛盾してしまっている。つまり、過去のように宗教を無邪気に信じることが難しくなっている。

このような時代において、私的な信仰の需要は大きい。人は何かを信じなければ生きていけず、汎用的に信じるものがなくなってしまったのであれば、自分自身の神を持たなければならないからである。何も信じず、何にも帰依せず、何にも寄りかからず生きていけるほど強い人は多くない。自由になったからこそ、強化されてしまった孤独を慰撫するために何かを信じようとする。

もちろん、今でもこうしたニーズに宗教は応えることができるだろう。この時代だからこそ信仰を深める人もいるだろう。だが、既存の古典的宗教は、単一の価値観を構築しようと欲し、それを強化しようとしてきた。単一の価値観が担保されることを所与のものとして運用されてきた。そのシステム（宗教だけでなく、イデオロギーなども）が社会の変容を受けて、機能不全を起こしているのだ。

二次創作の賛否

宗教やイデオロギーの「ユーザ」は、舞台裏である「世界観」のレイヤから、自分に合うものだけを抜き出して、私的な信仰を二次創作するのである。それが清正井信仰であり、大洗巡礼であり、飛騨巡礼（図5-6）である。完全に自分好みにチューニングされた、心地よい宗教だ。これは、「世界観」が可視化されてしまったから（マジックのネタが割れたから）、いままでの信仰を捨てざるをえなかったとも言えるし、可視化されたからこそ自らが新しいマジックを作ることができたのだとも言える。

図5-6　飛騨市の『君の名は。』観光拠点
出典：筆者撮影。

アニメの聖地巡礼と、宗教儀礼としての聖地巡礼は、分けて考える必要はないと私は考える。宗教が可視化され、要素分解され、個人でも操作可能なものになった現代において、二つは等価である。

二次創作には賛否両論がある。たとえば、アニメ作品の二次創作は、マーケットやファンのコミュニティを活性化させ、オリジナル作品の価値を増大させると捉え、歓迎する人たちがいる。反対に、

図5-7　大洗磯前神社
出典：筆者撮影。

二次創作作品が雨後の竹の子のように現れることで、オリジナル作品の希少性や神秘性が希釈され、その価値を減退させると嘆く人もいる。卑俗なテーマを付与されたり、デッドコピーをされることで権利侵害に至ることもある。宗教の文脈における聖地巡礼の二次創作であるサブカルチャーの聖地巡礼や、清正井などの世俗的聖地巡礼についても、同じことが指摘できる。

サブカルチャー聖地巡礼の最も大きな成功例の一つで、『ガールズ＆パンツァー』の聖地として知られるようになった大洗《おおあらい》磯前《いそさき》神社（図5-7）は、「きっかけは何でもよい。神域という非日常に触れ、手を合わせる経験をしてもらうことが重要」と語る。

これは、神社にとっても、参拝者にとっても幸せなケースだろう。だが、その神社のご神体も知らずに神社を参り、鳥居もくぐらずに帰って行くことに何の意味があるだろうかと考える神社や神職も多い。京都の粟田《あわた》神社は、近年の御朱印の転売を問題視して、転売で御朱印を手に入れないようアナウンスしている。御朱印は、参拝者が実際にそこに足を運ぶことで、神社と神縁を結んだことを証するものだ。このアナウンスは、転売による入手では神縁は得られないこと、転売業者が利益を得ることが忌むべきものであることを説く。

宗教的プロトコルと、それが瓦解して権威や畏怖を覚えなくなっている一般の人との感覚のズレが表面化したケースと言える。コミケをはじめとする同人即売会と同じことが寺社仏閣でも起こっていて、おそらく社会の他のセクターにも波及する。今後の制度設計やビジネスプランは、この構図を念頭に組まねばならないだろう。

聖地巡礼の産業化と失敗

サブカルチャーの聖地巡礼を、地域活性化や地方創生の呼び水に使えそうだと判断して、行政が施策に起用する潮流がある。しかし、活用の方法によっては効果が得られないだけでなく、地域の評判まで下落させる可能性がある。

サブカルチャーの聖地巡礼は、個々人が持つ小さな信仰である。登場の背景には、大きな物語のゆらぎとそこへの懐疑がある。利用者は自分なりの小さな信仰をつくりたいし、作らねばならないのだ。

聖地巡礼に集客力があるのは事実である。国境を越えた情報流通や、自動翻訳の高度化、日本のサブカルチャー人気によって、インバウンドにも寄与する。移住者の増加を見込む自治体もある。

確かに先行事例はある。アニメに憧れ、その主人公をまねて、実家から遠く離れた聖地で仲居として住み込み働く人が報道されたこともある。しかし、それは結果的にそうなっただけだ。再現性の高い現象ではなく、まして公理のようなものではない。

利用者から見れば、地方行政や商工会などは大きな物語の残り滓であり、古い時代を体現する存在だ。それが、「ここが聖地です」「物語ゆかりのこの料理を食べましょう」などとプロトコルを作れば、嫌われるのは明らかだ。聖地巡礼の現象面だけに着目し、「自分たちの村には、こんなに素晴らしい売りがある」「コンテンツに関連するアイテムを販売すれば、これだけの経済効果がある」などとそろばんを弾けば、特に金銭や利潤に対してナイーブな利用者から見て忌むべき行為になる。

大きな物語以降を生きる利用者は平等に慣れている。作り手が特権的で、受け手はそれを黙ってありがたがる価値観はすでになく、むしろ忌避される。権威ある為政者や経営者が著した書籍でもアマゾンレビューで袋だたきにあうことは日常茶飯事で、テレビやブルーレイで流通する公式コンテンツと比肩するコンテンツを二次創作するクリエイターもいる。

平等と個人主義は、権威を否定するベクトルをとる。聖地巡礼においても、自治体が権威となり規範たろうとするのは自傷行為である。もしもそういう発想で聖地巡礼に投資するなら、他の種類の、持続的価値を持つものに投資すべきである。仮に聖地巡礼に着手するならば、地方行政や商工会が前面に出てはならない。最善はただのファンになることだ。そういう関わり方であれば、世俗化された宗教の聖地巡礼に豊富な先行事例があるので、参照し学ぶこともできる。

自らハンドリングして聖地巡礼のプロトコルを定め、状況をコントロールしようとすると、状況は手に負えないものになる。草の根のファンが何か提案してきたら、心地よく対応し、手厚くサポートする。地方行政ではなく商工会が、商工会ではなくファンが、イベントや組織を企画・運営するほどに、そのイベントが賑わい、持続する可能性は高まる。

地方行政や商工会の人が関わりたいのであれば、組織人ではなくファンとしてであるべきだ。地方行政が雲の上から何を企画し、呼びかけたところで、二次創作に慣れ、目の肥えたファンからすれば、素人のやっつけ仕事以上のものにはならない。また地方行政は、地域の利得と自らの権能の拡大を優先して施策を組む。組織の目的と性質を考えれば、それは避けられないことだ。利用者やコンテンツ権利者は、この状況を好ましく思わない。一昔前ならいざ知らず、各種の情報基盤やプラットフォームを経験して、自分たちの手で何物かをつくり出す経験に富んだ利用者は、行政や商工会が出過ぎていると思えば、その地域を捨てるだけだ。

であれば、最初からプロデュースなどせず、利用者に任せた方がよい。ここで取りうる施策があるとすれば、自分も利用者になって、ファンと共犯関係になることだ。受け手が作り手、作り手が受け手である時代に、共犯関係が持つ意味は大きい。利用者は相手を、同じクラスタ、同じトライブに属した、コミュニケーションコストが小さい存在であると認識する。猜疑心の強いプラットフォームで生きている利用者に、仲間であると認証してもらえるのだ。

日本で最も成功しているイベントの一つであるコミケが、まさに仲間内の祭典「同人」であることに着目して欲しい。サブカルチャーの周辺でビジネスを展開し、成功するのは難しい。利用者と一緒に楽しみ、仲間になるのが一つのハードルだからだ。それではじめて経済圏に入る資格に手がかかる。こうした活動は思いついてすぐにできるようなものではない。まして持続させるのは至難である。

マイクロソフトはかつて利用者の仲間だったが、巨大化するに従って、利用者の管理者になった。そこで台頭したのがグーグルで、利用者とコミュニティを同じくし、利用者好みのサービスを次々と作り、リリースした。マイクロソフトは時代の寵児ではなくなった。しかしグーグルもまた肥大化やグローバル化にともなう制約を受け、利用者の仲間ではなく、管理者として振る舞うようになった。その間隙から立ち上がり、グーグルから力を奪ったのが、フェイスブックやツイッターである。

多くの会社や組織が、利用者の仲間や共犯になろうとしてなれないのだ。一時期、そう振る舞えたとしても、持続させるのは難しい。

例外的な成功事例とは

その難しい取り組みを継続して、大きな果実が実を結ぶこともある。二〇一六年は聖地巡礼を巡る動きが一つのピークに達した年である。「君の名は。」「聲の形」などの聖地を求め、足を運んだ人が多数に上った。

この年の聖地が岐阜県に集中したのは、決して偶然ではない。ずっと前から、飛騨まんが王国などの事業を立ち上げ、批判されることも多いサブカルチャーへの取り組みを継続した。この長いプロセスは、行政によるサブカルチャーへの理解を深めさせた。その結果、アニメの舞台として、また制作を行うのに向いている地域として、認知が進んだのである。

アニメなどのサブカルチャーに縁もゆかりもなかった地域や自治体が、表層だけなぞる形で聖地巡礼を企画し、実行しても成功はおぼつかない。短期的なブームを利用して集客や集金をしたい自治体は、短期的な結果が欲しいのであって、ユーザとの長期的なリレーションを志向しない。聖地巡礼でアイテムを売ったり、イベントを開催したりするためには自然発生的なプロトコルが必要であるにもかかわらず自分たちで作ってしまうなど、利用者がやって欲しくないことをすべてやってしまうことになる。

長期的に文化やコミュニティを育む活動をすれば、先の岐阜県のような事例にならうこともできるだろうが、そのようなビジョンや予算が確保できるなら、他に配分したほうが投資効率はよい。だから、その地域や自治体の誰かがサブカルチャーが好きで、サブカルチャーに親しみやすい文化とコミュニティがあり、活動によって自分たちも楽しめると判断した場合だけ、地域ぐるみで聖地巡礼振興を行う意味がある。そうしたベースラインが引けないのであれば、多数の巡礼者が見込めるコンテンツがあったとしても、聖地巡礼振興の試みはファンに任せておくべきだ。いまだに聖地まんじゅうなど、観光地で人をがっかりさせる定番アイテムを作って売る店もあるし、そこまでひどくなくても、権威的に現れた露骨なプロトコルはコンテンツが愛される寿命を縮める。

そもそもコンテンツの人気はバースト特性があって、単に損得勘定で行うならば、聖地巡礼を投資の対象にすべきではない。採算を度外視しても聖地巡礼振興をしたいほど、地域の事業者や自治体がそのコンテンツを好きならば、ファンとのコミュニティや共犯関係を築くことができるだろう。この関係に至れば、ファンはほぼ自動的にその地域のことを好きになってくれるし、なかなか嫌いにならない。

サブカルチャーの聖地巡礼が、そのコンテンツをより深く楽しみ、自分の価値感を確認・肯定することをも含む二次創作行為なのだということ、そこに商業がかかわると嫌悪感や忌避感を誘発するということ、それでなお関わるならば、ファンの共犯にならないとほとんど成功しないことだけは、指摘しておきたい。

3　新しいインターネットの構造と社会との共犯関係

スマホで変わる社会

大きな物語の解体と、それにかわるポストモダン社会の浸透をいくつかのケースで見てきた。一見しただけでは関係があるようには思えない、アニメやライトノベルのシナリオの傾向や、何かを信じること、その方法の変化が、社会の構造とリンクしている。この構造が産み落とした申し子であるインターネットが社会の基盤となり、そこからのフィードバックがさらに社会構造の変化を加速させている。

個人主義の発展と受容は、個人を強化する制度を形作るし、技術もそれに追従する。パソコンやスマホが現れたことで個人の能力は確実に大きくなった。スマホを忘れて職場や学校に向かうことを想像して欲しい。無力感や喪失感、不安感を覚えるはずだ。ふだん何の気なしに行っていることに大きな制限を受けるだろう。スマホがいかに個人の能力を拡大していたか体感できる。

技術開発の着目点も個人になった。動画コンテンツは、テレビを囲んで家族や友人で楽しむものから、スマホを使って一人だけで鑑賞するものに変わった。地図は世界を見渡して、そのどこに自分がいるのかを確かめるツールから、自分を中心に世界を構成するものに変わった。

個人の能力と権利が拡大した社会は、多様性を殺す。好きにやっていいと言われると、みんな同じになる。社会の制度設計はより公平になり、透明性が上がった。技術的にもインターネットとその上で展開されるアプリケーションが、社会の透明性を上げ、可視化した。たとえば、ＳＮＳは友だち関係を身も蓋もなく可視化した。それで何が起こったか。ＳＮＳにアップする写真が寂しくならないように、誕生日や記念日に、友だちとして振る舞って写真に収まる代行業が出現した。フランチャイズ店での客あしらいは、偏執狂的なまでに平準化された。サービスの手順や品質には、当然店舗ごとにぶれがある。以前は隔たった距離がそれを隠蔽し、誰の目にも触れず、問題にもならなかった。しかし、可視化された社会では、それが不公平だとネット上にアップされ、事案になる。

民主主義は登場した頃、たいそうなものではなかった。一〇〇人いれば一〇〇通りの意見があるのは当たり前だ。どうせ意見など一致するはずがない。多数決に五一人が投じたならば四九人は我慢しよう、が本質である。無慈悲な専制君主が支配するよりはよほどいい政体であるが、完璧ということはない。ところが、個人主義が隅々まで行き渡り、社会の可視化も結びつくと、人々は満場一致を求めるようになってしまった。多数決で採用されなかった四九人の意見も、できるだけ尊重しなければならない。少数意見も大事にしなければ、民主主義は単に票を読み、集めるゲームになってしまう。だから、少数の権利を守るのは正しい。

だが、その正しさを閾値を超えて追求すると、個人の権利と自意識は際限なく肥大化する。だれか一人が「気に入らない」と声を荒らげれば、その声をぶつけられた人は必ず対応しなければならなくなる。すべての行いとやり取りは可視化され、他の人と比べて自分がいかに我慢しているか、平等になっていないかが明白になる。声を上げれば権利が守られる、場合によっては拡大するのであれば、どんなに些細なことでも声を上げるのは合理的な行動である。その機会を失うわけにもいかない。

とても運のいいことに、社会は生活の可視化を望んでいて、ＩｏＴなどの技術がそれに呼応することで、今後もどんどん人々の行いは丸裸になっていく。情報技術を利用することで、自分より得をしている人が居ないか昼夜を問わず監視し、見つけたらコミュニティにその情報を拡散して、同じ待遇を求めたり、得をしていた人たちを懲らしめることができる。

この状況は、何をするにもコミュニティの中はもちろんのこと、世界の視線を意識しなければならないことを意味する。美少女ゲームのテーマも、アイドルの衣装も「せまいコミュニティ向けに設計された商品だから」と、その内側だけに気を取られていると、別の国家から、別の文化から批判される。すべての行いが多くの人の視線にさらされ、批判され、その行いが改善されていくことは、人がよりよくなるために必要なことかもしれない。しかし、緩衝材としての地域やコミュニティや家族が崩壊したいま、すべての個人がそれを引き受けるのは明らかに重荷だ。批判されることが仕事のうちの為政者や言論人はいいが、市井で静かに暮らしたい人までそれだけのコミュニケーションコストを支払うことになるのは、短期的には社会の効率を悪くし、長期的には人の精神を荒んだものに変えていくだろう。

失われたもの

大きな物語は瓦解し、個人が強くなり、物事の相対化が進み、価値観が多様になった。この世界で生きるには、一人一人が自分の信じるものを、聖地巡礼にならって言えば自分の信仰を、持つことを迫られている。大きな物語としての宗教は、秘蹟や聖遺物、教会での教え、時には免罪符によって、自分の信仰が正しいと信じさせてくれるシステムを組み上げていたが、現代の内なる信仰においては、正しさを確信させ、保証する責任は自分に帰せられる。これは本来、無理な話である。自分の信じるものの正しさなど、最終的には証明のしようがない。何も拠り所がないところで生きていくのは辛いから、便宜的に何かを信じる。生きていく方便のための信仰である。違う言葉を使うなら、人生の軸を決める作業だと置き換えてもいい。

多様性はもっと人を解放するはずだった。インターネットなどの技術もそれを後押しするはずだった。でも、実践してみると、間違っていてもいい、「みんな違ってみんないい」と自分の行いも他人の行いも鷹揚に処理できる強い人は存外少なかった。多くの人は、自由や民主主義に耐えられるほど強くないのかもしれない。多様な意見を汲み取るだけのキャパシティを持っているはずのインターネットという容れ物が、言論や思考を単一化させ、カスケードさせる効果を持ったことは、先に議論した通りである。

みんな違っていることを許容できないのであれば、自分が正しいことを証明するしかない。鯨を捕ることを許容する人、拒否する人、男女の役割分担を容認する人、拒絶する人、トリクルダウンが起こると思う人、思わない人……、確かに相容れない。お互いの存在を認めて仲良く併存していくわけにはいかないのだろう。自分が我慢する選択肢も失われている。社会は多様性を認めたのだから、我慢は挫折だと読み替えられる。それは自分が負け組になることを意味し、許容しがたい行為となる。そして、内なる信仰の正しさを証明する責任が自分にあるのなら闘いになる。正しさを証明する、手軽でわかりやすい方法は、意見の違う者を葬ってしまうことだからだ。

オープンなネットワーク、可視化されたネットワークで、個人主義を背景とした利用者同士が接触するとき、炎上などのインシデントに発展するのは必然である。叩き合いでは、誰も正しさを証明できないのに、つまりは誰も安心できないのに、刹那的な生存欲求で他者を攻撃し続ける。

無数の選択肢が多様性を殺す

インターネットは小さなトライブが無数に遍在して、互いを監視し、叩き合うプラットフォームになった。それは、これまでに議論してきたように、インターネットにのみ原因を求められるものではない。わたしたちの社会の構造がそのままインターネット上に写像されたもので、社会とインターネットが強く結びついているいま、解消することは難しい。

インターネットがある種のユートピア思想をもとに設計されたことは、すでに述べた。平等で透明でオープンな環境を作ろう。個人の力を信じて拡大し、多様性があり、国境を越えたみんなの協力でインターネットも社会も発展させる、そんな希望があった。しかし、インターネットが特定の技術者や研究者から不特定多数の人々へと解放され、当初の理念にもとづいた機能が次々と実装されていくと、オープンな透明さは相互監視に、個人の重視は他人への不寛容に、多様な意見と行動はそれ同士のつぶし合いに発展した。

また、多様化と可視化が閾値を超えると、選択肢が多くなりすぎて何も選べなくなる。度が過ぎた多様化は、選べないという一点において、多様性を消失させる。膨大な選択肢から最も優れた解答を選ぶためには機械のサポートが必須になり、機械の選択は最善であると思い込むが故に多様性は否定され、一つの解しか持たない社会へと状況を再収束させるだろう。

未来の価値は

現状をよいものと思わず、もっと安心して穏やかに過ごせる世界を求めたとしたら、どのようなものになるだろうか。ここで言う穏やかな世界は、リアルかネットかは問題ではない。この区分は、ほどなく不要、無効なものになる。両者は融合しつつある。それを実現するには、ネットワークの不透明化や、個人の能力抑制を行わねばならないだろう。統一的な価値基準や行動規範を蘇生させることも必要だ。

この考察に徒労感がつきまとうのは、導かれた解が少しも良さそうなものではない点に起因する。先に述べた解はおそらく正しい。しかし、安心で穏やかな生活を取り戻すために、長い時間をかけて作り、入手してきた使い勝手のよいネットワークや拡大した力を手放す選択ができるだろうか。

技術や力を捨てて、オフラインの生活をはじめる人ももちろんいる。しかし、今のところ少数派にとどまるし、増加傾向にもない。そして、恐れ疲れていたはずの残酷なインターネットに、戻ってくる人も多い。便利さや全能感はそれだけ他で代替できないものなのだろう。知恵の実を齧ったら、もう無垢には戻れない。このままでは、私たちはあまりに大きくなった力を抱えて、無数の敵が跋扈する透明な暗闇を歩き続けるしかない。そうしないためには、たとえ小さく、頼りなく思われても、新しい共生のありようを模索し、その芽を見つけ、育み続けるしかない。

コラム　二次元キャラクタを巡る状況について

サブカルチャーは社会の変化を読み解くに際して、リトマス試験紙、あるいは炭鉱のカナリアとして機能すると、これまでにも書いてきた。しかし、書籍の性質上、あまり真正面からサブカルチャーを、特にその中でも萌えと呼ばれるドメインを取り上げることはしなかった。

ここではコラムとして、本書で説明した内容についての理解を促進するであろう領域に絞って、萌えや二次元キャラクタの動向について概説する。

図1　IK氏のナタリア・ポクロンスカヤ
出典：HUFFPOST（2014年3月26日）諷刺マンガに萌え絵を（https://www.huffingtonpost.jp/hiroshi-yamaguchi/post_7191_b_5032746.html）

図2　台湾のラッピングバス
出典：Yahoo!Japan ニュース（2013年10月15日）台湾には“痛車”ならぬ“痛バス”が走っていた（https://news.yahoo.co.jp/articles/24248727695e4801a776a0342fd734d97e2a6222）

萌えの構造

「萌え」が好まれ、それなりの存在感をもって迎えられているのは、日本だけの特殊な状況であると、萌えを消費する主体であるオタク自身が考えていたのだが、いまや萌えコンテンツの消費は世界中で行われており、必ずしも特殊な嗜好や趣味であるとばかりも言えなくなった。むしろ、日本人の特殊な感性でしか作れないと思われていた萌えコンテンツを生産する海外ユーザも現れて、萌えコンテンツ業界での日本の特権的な地位が失われることを心配しなければならない時代になったのだ。

たとえば、クリミアの「美しすぎる検事総長」ナタリア・ポクロンスカヤ氏を二次元化したイラスト（図1）はベトナムのユーザが描いたものだと言われているし、台湾などは都市の景観が日本以上に萌えに満ちている。公共交通機関が萌え絵にラッピングされて走る姿（図2）は世紀末的景観を超えて、人類の次の到達点を示すかのようだ。

二次元キャラクタを消費する利用者は、インターネットと親和性が高く、インターネットの現状を考えるうえで、避けて通れない話題ではある。

そもそも萌えとは何か。この言葉はさまざまな場面で使われ、意味が拡散し、再生産されてしまっている。たとえば一時期、中高生を使った売春のことを萌え系風俗などと呼称したのはその一例だろう。しかし、萌えは一義的には二次元キャラクタに対する性的な欲望を含んだ執着を指す言葉だと考えられる。ここで起源論を展開するつもりはないが、萌えはポルノとも違う。萌えコンテンツを制作するとき、性の予感や気配を漂わせるのは重要なことだが、ポルノにしてしまうともともとの萌えの動機と運用からは外れてくる。

また、「オタクはリアル女子に相手にされないから、二次元女子に逃避している」という言説があるが、実態はそうではないのだ。リアル女子に相手にされないのは間違いないのだが、代替物として二次元女子が好きなのではない。仮に「リアル女子と二次元女子、どちらともお付き合いできますよ？」などという状況が生じたとしたら、迷わず二次元女子を選ぶのがオタクである。二次元女子は代替物ではない。単に二次元女子の方が好きなのだ。

二次元女子との結婚は、ある意味でオタクの欲望のメルクマールかもしれない。DMM.com の『艦隊これくしょん』でも、キャラクタと婚姻関係を結ぶことができるケッコンカッコカリのシステムは、おおむね好意的に受け入れられた。『艦これ』のケッコンカッコカリには、結婚指輪が必要で、これは七〇〇円で売られている有償アイテムなのだが、かなりの数の重婚をする利用者も多い。[1]

二次元キャラクタとの婚姻

結婚に対するハードルとして七〇〇円というのはだいぶ低廉だが、このハードルをどこまで上げることができるのか、二〇一六年七月に無作為抽出による筆者独自の調査を行ってみた。母集団が小さい（n＝300）ので参考程度だが、二次元キャラとの結婚観を問うた（図3、4）。

二次元キャラとの結婚に、オタクが有意に前向きなのは自明として（むしろ堅気の人でやや結婚を考えてもいいと考える人が一・二％もいるのが驚きである）、そのためのハードルとして「もし結婚ができるなら、二次元キャラクタ（婿／嫁）分の住民税を払ってもよい」を掲げても、九・一％もの人が残る。簡易的な調査であるので、あまり真に受けるのは危険だが、相当なハードルを課しても、二次元キャ

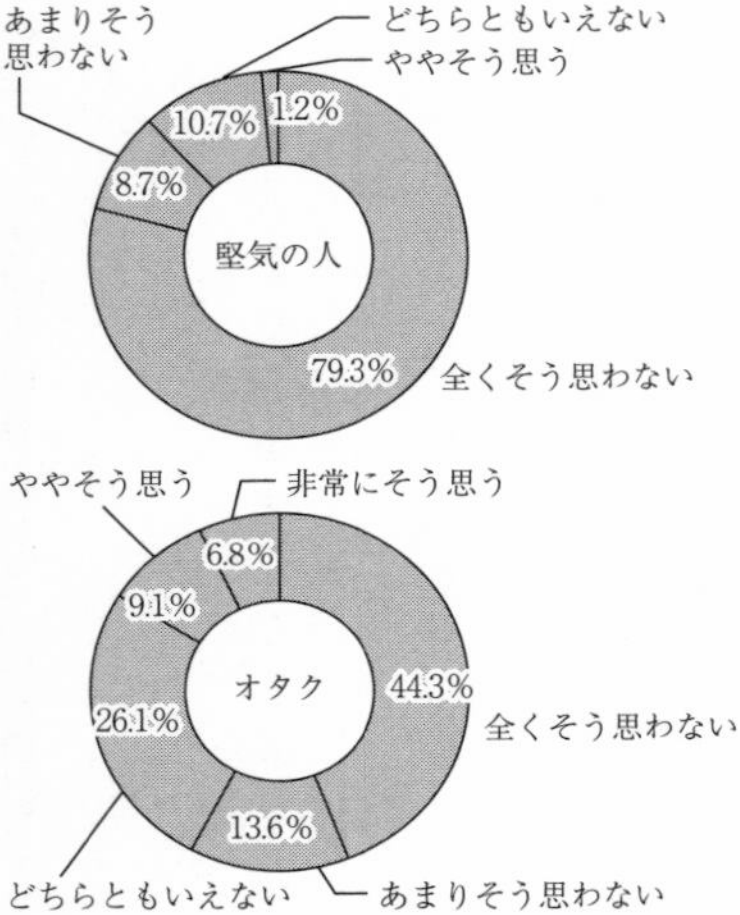

（人，％）

	堅気の人	オタク
全くそう思わない	192（79.3）	39（44.3）
あまりそう思わない	21 （8.7）	12（13.6）
どちらともいえない	26（10.7）	23（26.1）
ややそう思う	3 （1.2）	8 （9.1）
非常にそう思う	0 （0.0）	6 （6.8）
無回答	0 （0.0）	0 （0.0）
全　体	242（100.0）	88（100.0）

図3　Ｑ１　アニメやゲームなどのキャラクタと結婚できる制度ができたら、利用したい（結婚したい）と思うか。

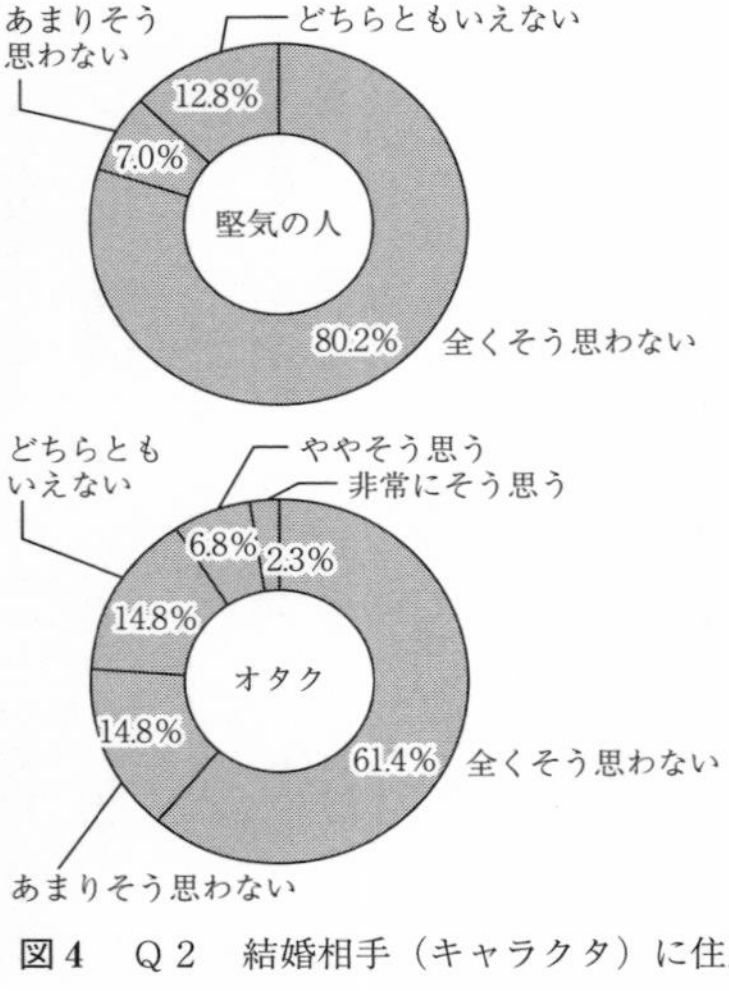

（人，％）

	堅気の人	オタク
全くそう思わない	194（80.2）	54（61.4）
あまりそう思わない	17 （7.0）	13（14.8）
どちらともいえない	31（12.8）	13（14.8）
ややそう思う	0 （0.0）	6 （6.8）
非常にそう思う	0 （0.0）	2 （2.3）
無回答	0 （0.0）	0 （0.0）
全　体	242（100.0）	88（100.0）

図4　Ｑ２　結婚相手（キャラクタ）に住民税がかかっても、結婚をしたいと思うか。

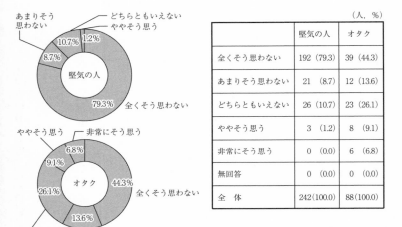

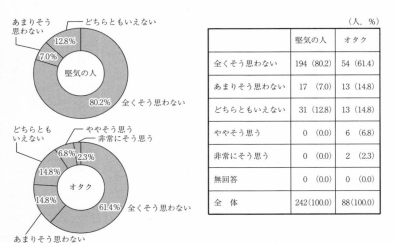

ラと添い遂げたいと考えている人が一定割合は存在するのだ。もし二次元婚が実現するなら、人口が減り続ける一方の日本だが、納税人口は増やせるかもしれない。

パーソナライズされた異性

なぜ、そんなに萌えキャラがいいのだろうか。リアル女子は発信する情報にノイズが多いというのは、一つの説明だ。

AIでも同じだが、人間の脳もそんなに複雑な演算をするキャパシティはない。目や耳といったインタフェースから流入してくる情報を相当程度抽象化して処理している。

どうせ抽象化処理が入るなら、リアルな人間などというノイズのかたまりよりも、最初からデフォルメされた絵の方が認知しやすい。そもそも人間の情報量は多すぎる。子供が実写の動画コンテンツよりも、アニメや人形劇の動画コンテンツの方を選好するのは、情報量が小さくてわかりやすいからだ。

今は技術が未熟でその解明には至っていないが、庇護感情や恋愛感情を惹起させるプロセスも、人間の実物より二次元キャラの方が発火させやすいのだろうと思う。

SNSをはじめとして、現代ではコミュニケーション自体が、検索に検索を重ね、パーソナライズにパーソナライズを重ね、極端に自分に最適化された極小のトライブの中で行われるようになっている。こうしたコミュニケーションに慣れた利用者が、恋愛にも自分向けにカスタマイズされ、パーソナライズされた異性を求めるようになるのはむしろ自然なことだ。

増える一方の交際マッチングサービスは、その解を求めるためにある。しかし、言うまでもないことだが、リアルな異性はそんなに都合のよい存在ではない。そんなに都合のよい相手がそうそう見つけられるわけはないし、リアルな異性に魅力を感じない男女のうち一定割合の人が二次元キャラクタを嗜好する利用者になっていくのは、納得できるメカニズムである。

アイドルも近いうちに二次元キャラクタで実装できるようになるだろう。萌芽は以前からあった。たとえば、一九八八年の一年間を支配したユニット「Ｗｉｎｋ」は、二次元的な意匠に満ちていた。陰影を付けないメイク、極端に抑えられた表情、喋らないキャラクタ。特徴点を抽出し他をそぎ落とした二次元的なデザインがわかりやすく、感情に訴求しやすいのは先に示したとおりだが、アイドルとはそもそも自分の妄想を載せる器である。であるならば、器はできるだけ無色透明で色がついていない方がいい。Ｗｉｎｋは生身の人間が演じることができるぎりぎりのラインを狙ったユニットだった。その方向性を突き詰めていくのであれば、あとは本物の二次元キャラにするしかない。実際、Ｗｉｎｋに続く時期にホリプロは伊達杏子という仮想アイドルをデビューさせている。

個性的なアイドル、というのはテンプレートとしての、妄想の基盤としての個性のことを言っているのであって、本物の個性など誰も求めていない。入社試験で「個性と多様性を求める」という企業が、本当に個性的な人物を取りはしないのと同じ理屈である。

リアルな人間は、どんなに身辺をクリーニングしても、どこかには妄想を台無しにするような過去や要素を持っているし、加齢や引退、業務ドメインの変更もある。その点、二次元キャラは、いつでも同じパフォーマンスを発揮し、世界観を崩す要素は少なく、経年変化も最小限に抑えることができる。

これまで、キャラクタは物語に従属し、物語の終幕と同時にコンテンツとしての耐用年数を迎えると考えられてきたが、物語から切り離される形でのキャラクタの運用や消費が活性化するだろう。初音ミクはそれが一般に受け入れられた先駆けであると言える。固有の物語はなくとも消費することができ、むしろ無数の異なる物語に適用されて溶け込むことができるキャラクタである。これはある種の芸能活動であり、偶像のパーソナライゼーションである。

そして、この芸能活動は、コンテンツとしてのカテゴリや国境を容易に越境する。もちろん、リアルな肉を持つ芸能人も、文学作品にだって出演するし、お笑いコンテンツに関わることもあるだろう。しかし、二次元キャラクタの越境性は現実の身体を持たない分、より徹底している。同じキャラクタが母にも姉にも妹にも娘にも姪にも天使にも淫魔にもなる。リアルな芸能人が同じことをすれば失笑を買う結果になるだろうが、二次元のキャラクタの場合はなんのためらいもなくカテゴリは跨がれ、かつ破綻しない。むしろ、色々な場面にお座敷がかかる中でもともとの設定が持つ本質的な要素が強調され、キャラクタは強固になる。

この特性は二次元キャラとの婚姻を考えるときにも重要である。特定の二次元キャラと結婚したい利用者は大勢いる。本書の中で例として多用した艦これでも、多くの利用者が金剛なり榛名なりと結婚しているが、艦これの世界ではこれを重婚とは呼ばない（重婚と呼ぶのは、利用者が複数の艦娘《かんむす》と婚姻する場合で、艦娘が複数の利用者と婚姻関係を結ぶのは問題にはされない）。

二次元キャラの利用者は、キャラクタの共有に理解があるのだろうか？　そうではない。むしろ、

図5　戦艦霧島のコスプレをする蔡英文（コラージュ）
出典：ロケットニュース（2016年２月１日）艦これ“霧島”に神似と話題！　台湾次期総統が同人イベントに降臨したらこうなった（https://rocketnews24.com/2016/02/01/702370/）

『かんなぎ』の例を見てもわかるように、独占欲が強いのが一般的である。これについては、二次元キャラクタは、その原型としての「クラス」は単一であるものの、それを消費する各利用者はクラスから派生した「インスタンス」を所有して消費していると考えられる。原型のクラスさえあれば、個々に異なるインスタンスがおのおのの利用者に無限にリロードされ、利用者はそのインスタンスに独自の属性を上書いていくことでインスタンスを自分のものにするのだ。

このインスタンスは極めて私的なもので、したがって金剛というキャラクタ（クラス）が利用者Aとも利用者Bとも結婚していても、それは重婚にはならない。彼らが「うちの金剛」「うちの榛名」という言い方をするのは、金剛というクラスから生成したインスタンスを独自に所有しているという意識があるからだ（アイドルとの結婚を勝手に宣言すればファンのコミュニティから袋だたきにあうだろうが、二次元キャラとの結婚はむしろファンコミュニティのなかで賞賛される）。この「クラス」→「インスタンス」という越境的な派生関係が「萌え」の中核を成しているとも言える。周知のキャラクタを共有しつつ独占するというアクロバティックな行為が、二次元キャラではより容易に実現できるのだ。

二次元キャラクタの越境性

それは、国境の超えやすさ、という特性をも形づくっている。もともとのクラスにはひょっとしたらあったかもしれないナショナリズム的な文脈が、インスタンスをリロードする際に利用者固有の属性を上書きすることで中和されるからである。

国境を越えた例をいくつか紹介しよう。最初は蔡英文だ。言わずと知れた台湾の総統である。蔡英文がいったい何をしたのか。戦艦霧島のコスプレをするコラージュ画像になった（図5）。

艦隊これくしょんについて改めて説明しておこう。旧帝国海軍の艦艇を擬人化したソーシャルゲームである。ゲーム自体は、オーソドックスといってもよいカードバトル形式のものだ。カードを蓄積し、よい手札（デッキ）を揃え、対戦（現時点で演習以外に人間対人間で戦う仕組みはないので、相手はシステムが務める）をし、その結果如何によっては、さらに貴重なカードを入手してデッキを改善することができる。

艦隊これくしょんでは、そのカードの元ネタが海軍艦艇なのだが、これがかなりマニアックなのである。たとえば戦艦大和では、簪は二号一型電探、いわゆる二一号電探と呼ばれる対空レーダーで、実際に海軍の簪と呼ばれていたもの、左腕の腕章はZ旗で、左手に持っているのは九一式徹甲弾に見える。右のニーソックスがずり落ちているのは、坊ノ岬沖海戦の被弾状況を表している。ここではたまたま大和を取り上げたが、艦これのイラストにはどれも見る者に、何故ここはこう造形されているのだろう、と考えさせるフックが用意されていて、それを調べるうちに世界観にどっぷりはまり、海軍艦艇にも詳しくなるしくみになっている。

実際、二〇一三〜二〇一六年にかけて、男子中高生は相当海軍艦艇に詳しくなった。いまや子ども向けの戦闘機図録や艦艇図録を見かけなくなって久しい。戦後七〇年もたてば当然のことである。子どもたちの間から、ひいては大人からも、大和や零戦の知識は失われていくのだろうと思われ、現実にそうなりつつあった。

しかし、当該時点の大学生は精深な艦艇知識を、それもかなりエッジの効いた知識を備えていた。軽巡阿武隈と軽巡北上の接触事故など、相当な海軍マニアでも知らないような知識である。接触事故そのものが、艦艇に関連して覚えておくべき知識として優先度が低いし、そもそも演習中の事故である。地味なのだ。だが、彼らは知っている。キャラクタの阿武隈さんと北上さんの仲が悪い様が描写されるからである。何故だろうと調べていくと、必ずあの接触事故に行き着くのだ。他にも史実に沿ったキャラクタ設定や造形、描写がふんだんに盛り込まれている。見た目は可愛いが、かなり濃ゆく帝国海軍を連想させる作品なのだ。

この作品がリリースされた当時、眉をひそめた識者が一定数存在した。こんなに海軍色の強い作品を、（ベンダは禁じているとは言え）世界のどこからでもアクセスできるインターネットサービスとして提供してよいのか、アジア諸国をはじめとして、拒絶反応が生じるのではないか、と危惧したのである。

実際、不愉快に感じた人もいたであろうが、それ以上に多くの海外ユーザが艦これをプレイした。そもそも艦これのベンダは海外からのアクセスを禁じていたので、エミュレータを使っての違法プレイであったし、とくに中国のユーザはグレートファイアウォールがあるのでＶＰＮを通さなければ艦これにアクセスできなかった。かなりの技術的障壁があるのだが、それをものともせず彼らは遊び、その様子をユーチューブなどにアップした。いまだ戦後の傷は癒えず、周辺諸国との心理的障壁は残存しているが、二次元のキャラクタはそうした呪縛をやすやすと無効化した。その極点が蔡英文であろう。

ここで紹介した蔡英文の事例はもちろんフェイクである。艦これに登場する戦艦霧島に容貌が似ているとの指摘が相次ぎ、台湾のユーザがコラージュを作ったのだ。それだけならば、よくある話ではある。しかし、驚くべきことに、蔡英文陣営はこれを選挙運動に使ったのだ。蔡英文自身も選挙期間中に、「今ではずいぶん霧島に詳しくなった」とコメントした。いかに親日国とはいえ、日本統治時代の記憶を残す難しい歴史を抱えている国である。その国の国家元首が帝国海軍艦艇の意匠をまとう。二次元キャラクタの越境性がなければ成立しない現象だろう。

図6　ISIS たん
出典：HUFFPOST（2015年７月22日）「ISIS ちゃん」BBC が報道　IS（イスラム国）を妨害する萌えキャラとは（https://www.huffingtonpost.jp/2015/07/21/isis-chan-anonymous_n_7845338.html）

もう一つの例は、ＩＳＩＳたん（図６）である。イスラム過激派組織のＩＳＩＳを二次元女子へと擬人化したキャラクタである。ＩＳＩＳが日本人を人質に取った事件が進行するさなかでつくられた。自然発生的に生まれたものだが、そこにはおそらく「汚染しやすいインターネットの特性」（岡嶋〔二〇二〇〕を

図７　日本鬼子
出典：http://images.china.cn/attachement/jpg/site1004/20101217/001ec94a25c50e75156605.jpg

図８　日本鬼子と小日本
出典：http://images.china.cn/attachement/jpg/site1004/20101217/001ec94a25c50e75154b03.jpg

参照）を利用して、ＩＳＩＳへ対抗しようという意図があった。つまり、ＩＳＩＳたんが人気コンテンツとなって、ＩＳＩＳと検索したときに彼女の検索結果しか上がってこなければ、ＩＳＩＳはネットでは事実上存在しないことと同じになってしまうのである。ＩＳＩＳは（一般的な行政府にくらべれば）ネットの活用が巧みと言われているので、これは冗談の域を超えてＩＳＩＳにダメージを与えうるのだ。そもそも、大真面目に武力行使をしている武装組織を萌えキャラ化するなど、周囲にとっては滑稽以外の何ものでもなく、ＩＳＩＳにしてみればとんだ斜め上からの挑発と敵対行動である。イメージ戦略の点からも、許容するわけにはいかないのだ。しかし、処置は難しい。真正面から対応すれば滑稽さに拍車がかかる。ＩＳＩＳたんは、登場した当初の評価はひどかった。戦争を茶化すなというわけで、当然のことだ。しかしその後、恐怖による支配をしたいと考えている主体に対して、効果的な、いかにも日本らしいレジスタンスとＣＮＮは報じた。

日本鬼子（図7）もこれに類する事例としてあげることができる。日本鬼子は中国人が日本に対して使う蔑称だが、二〇一〇年の尖閣諸島事件後に中国からこの言葉を用いての掲示板などへの投稿が増えた一時期があった。それに呼応する形で、日本の2ちゃんねるの利用者を中心に、日本鬼子を萌えキャラ化しようという企画が立ち上がり、描画能力に長けた賛同者がデザインや設定を持ち寄って様式化されたのが、日本鬼子（ひのもと おにこ）である。これも蔑称である小日本を換骨奪胎した小日本（図8、こひのもと）というキャラクタと対でイラスト化されることもある。

このムーブメントに対して、中国側から伝えられた反応は脱力だった。たしかに、罵声を浴びせているつもりだったのに、萌えキャラが返ってきたら困惑するだろう。グーグルで日本鬼子を検索すると、結果の上位を占めるのはこのキャラクタに関する記述で、画像検索に至ってはほとんどが「ひのもとおにこ」である。ところどころデモ隊の画像も混じるが、周囲をひのもとおにこに埋め尽くされているので、下手をするとデモ隊がオタクの集団のように見える。確かに脱力するだろうし、真面目に抗議活動をしていただろうに気の毒にすら感じる。一方で萌えキャラで敵意を無効化してしまおうという企画者の意図はある程度実現したことになる。

東京ローズの時代から、こうしたプロパガンダは存在したが、現代においてこれを実行することにしかし、国家は困難が伴う。生身のアイドルにＩＳＩＳのコスチュームを着てもらうことは不可能だろう。しかし、二次元キャラならこの窮屈な時代でも国家やトライブを越えて浸透できるポテンシャルがある。国家レベルから個人レベルまで、コミュニケーションや相互理解を推進させるファクタにも、また阻害するファクタにもすることができるだろう。二次元キャラと結婚したがる利用者は、その表出のしかたの一例である。もちろん、こうした利用者がすぐにマジョリティになることはない。しかし、漸増していくであろうことは間違いない。

（1） ファンタジーに浸っているといえばその通りなのだろうが、世の中の大多数のおじさんが「日本のものづくりは素晴らしい」といったファンタジーに浸っているのは社会で受容されている。ファンタジーには多様性があるが、社会に承認されるレンジはいまだ狭い。

おわりに

インターネットの黎明期から、社会とのかかわり、当初の理想からの変質、サブカルチャーに至るまで、企画を立てたときに書きたいと思っていたことは、ほとんど書かせていただくことができました。

現在、出版を取り巻く環境は決して楽観的なものではなく、そもそも本は出せないか、書かせていただく機会があっても、なかなか著者の思い通りに好きなものを取り上げられることはほとんどないと思います。

そんな中で、著者の好みを十全に認めていただくという、奇蹟に近い形で書籍化していただいたのが本書です。たぶんこんなことはもう、残りの人生では起こりえないと考えています。願わくば、あまり版元にご損をかけないですむといいのですが。

その後のインターネットの変容や、ＡＩ、データサイエンスが社会にどんな影響を及ぼすかなど、まだまだ書いてみたい話題はたくさんありますが、そういうチャンスが自分に残されているかどうかはちょっとわかりません。でも、私が書けなくても、若く優秀な研究者の方がきっといいものを書いてくださることと思います。それを読むのを引退後の楽しみにしようかと。

本書は主に大学生に読んでいただくことを想定して、まとめてあります。ちょっとでも情報や社会のことを、面白いなと思っていただければ望外の僥倖ですが、仮に何の感慨も沸かなかったとしてもそれは著者の力不足であって、情報が面白い学問であること自体は間違いありません。巻末に参考文献リストを記したので、是非これらの本もお手にとって、楽しんでみてください。きっとこの分野を好きになれると思います。

インターネットや各種システム、スマートフォン、そして社会のしくみもブラックボックス化が進んでいます。それは悪意でそうなっているわけではなく、「使いやすくしよう」「みんなに利用してもらおう」という善意がドライブになっています。でも一方で、それらが技術や社会のしくみを見えにくくしています。

見えないものは単純に怖いですし、何かやらかしてしまったときにどこまで影響が及ぶかわからず萎縮してしまいます。反対に見えないからこそ、その力や波及効果を軽視して人生を危うくしてしまうことがあるかもしれません。

及び腰になるでもなく、不必要なリスクを負うでもなく、情報システムを使いこなし、情報システムに過度に影響されず、重要な決定を自分自身の意思で適切に行う、そうした力を取り戻す（もうけっこう喪われていると思うんです）ためには情報や社会に興味を持って、それを知ることが大事なのだと思います。本書がほんの少しでもその役に立てば、本当にうれしいです。

出版環境の変化に加えて、アフターコロナという困難な状況下において出版の機会を与えてくださったミネルヴァ書房に深謝いたします。中川勇士様のご編集なしにこの書籍が世に出ることはありませんでした。ありがとうございました。

最初にこれらの原稿を発表する機会を与えていただき、また今回の再録にもご理解とご協力をいただいた講談社、光文社、中央大学出版部の皆さまにも、心より感謝申し上げます。

また、この本を手に取っていただき、最後までお付き合いいただいた皆さまに厚く御礼申し上げ、結びとさせていただきます。

二〇二一年一月

岡嶋裕史

参考文献

東浩紀『動物化するポストモダン』、講談社、二〇〇一。

宇野常寛『ゼロ年代の想像力』、早川書房、二〇一一。

大澤真幸『不可能性の時代』、岩波書店、二〇〇八。

岡嶋裕史「デジタル時代の社会現象」、中央大学国際情報学部編『国際情報学入門』、ミネルヴァ書房、二〇二〇。

岡本亮輔『聖地巡礼』中央公論新社、二〇一五。

斎藤環『戦闘美少女の精神分析』筑摩書房、二〇〇六。

田中辰雄・山口真一『ネット炎上の研究』勁草書房、二〇一六。

見田宗介『まなざしの地獄』、河出書房新社、二〇〇八。

初出一覧

岡嶋裕史「モダン・インターネット」『クーリエ・ジャポン』、講談社、二〇一八。

岡嶋裕史「インターネットの腐海は浄化できるのか?」『本がすき。』、光文社、二〇一八。

岡嶋裕史「インターネットの構造と、社会との共犯関係について」、保坂俊司編著『アジア的融和共生思想の可能性』、中央大学出版部、二〇一九。

マ　行

ヤ　行

ラ　行

ワ　行

英　数

タ　行

ナ　行

ハ　行

索　引

（＊は人名）

《著者紹介》

岡嶋裕史（おかじま・ゆうし）

1972年　生まれ。

2004年　中央大学大学院総合政策研究科博士後期課程修了。博士（総合政策、中央大学）。

富士総合研究所、関東学院大学准教授、同情報科学センター所長を経て、
現　在　中央大学国際情報学部教授。

主　著　『ビッグデータの罠』新潮社、2014年。

『ブロックチェーン』講談社、2019年。

『5G』講談社、2020年。

『思考からの逃走』日本経済新聞出版、2021年。

『国際情報学入門』（共著）ミネルヴァ書房、2020年。

インターネットというリアル

2021年5月1日　初版第1刷発行　〈検印省略〉

定価はカバーに
表示しています

著　者　岡　嶋　裕　史
発行者　杉　田　啓　三
印刷者　中　村　勝　弘

発行所　株式会社　ミネルヴァ書房
607-8494 京都市山科区日ノ岡堤谷町1
電話代表（075）581-5191
振替口座 01020-0-8076

中村印刷・新生製本

ISBN978-4-623-09176-8

Printed in Japan